CW00572138

CÓMO ANALIZAR A LAS PERSONAS

Cómo aprender a leer a la gente,analizar el lenguaje corporal y los tipos de personalidad,comportamiento humano y defenderse del control mental.

ERNESTO MARQUEZ J.

El presente documento tiene por objeto proporcionar información exacta y fiable sobre el tema y la cuestión que se trata. La publicación se vende con la idea de que el editor no está obligado a prestar servicios contables, oficialmente permitidos o de otro tipo, cualificados. Si es necesario un asesoramiento, legal o profesional, se debe solicitar a un profesional en ejercicio de la profesión.

De una Declaración de Principios que fue aceptada y aprobada por igual por un Comité de la Asociación de Abogados Americanos y un Comité de Editores y Asociaciones. En ningún caso es legal reproducir, duplicar o transmitir cualquier parte de este documento en medios electrónicos o en formato impreso. La grabación de esta publicación está estrictamente prohibida y no se permite el almacenamiento de este documento a menos que se cuente con el permiso escrito del editor. Se reservan todos los derechos. Se declara que la información proporcionada en este documento es veraz y consistente, en el sentido de que cualquier responsabilidad, en términos de falta de atención o de otro tipo, por cualquier uso o abuso de cualquier política, proceso o instrucciones contenidas en el mismo es responsabilidad única y absoluta del lector receptor. En ninguna circunstancia se considerará al editor responsable o culpable de ninguna reparación, daño o pérdida monetaria de los derechos de autor.

e a la información aquí contenida, ya sea directa o indirectamente. Los respectivos autores son dueños de todos los derechos de autor que no son propiedad del editor. La información aquí contenida se ofrece con fines informativos únicamente, y es universal como tal. La presentación de la información no tiene contrato ni ningún tipo de garantía. Las marcas comerciales que se utilizan no tienen ningún consentimiento, y la publicación de la marca comercial se realiza sin permiso o respaldo del propietario de la misma. Todas las marcas registradas y marcas dentro de este libro son sólo para propósitos aclaratorios y son propiedad de los propios dueños, no afiliadas a este documento.

Tabla de contenidos

Introducción

Uno se sorprendería de lo fácil que se hace manipular a la gente cuando sabes cómo leer su comunicación no verbal. Si la información es el rey en el juego de la manipulación, entonces leer a la gente es la reina ya que te permite casi ver sus pensamientos.

El lenguaje corporal

Proximidad-Proximidad es una de las formas más fáciles de ver lo que la gente siente por ti o por otras personas. Dependiendo de la cultura de la persona, a menudo puedes ver lo cómodo o íntimo que es alguien a tu alrededor o de otras personas mirando lo cerca que están de pie o sentados. Cuanto menos cómodos se sientan, mayor será la distancia que probablemente pongan entre ellos y los demás.

La postura

Postura de la cabeza: la forma en que alguien se mueve o sostiene la cabeza puede decirte mucho acerca de dónde está en su propia cabeza. Observar a dónde apuntan su barbilla puede decirte si están seguros de sí mismos, la barbilla estará arriba; agresivos, la barbilla estará arriba y apuntando hacia adelante; o inseguros o tristes, la barbilla probablemente estará boca abajo.

Postura abierta: una buena forma de ver si alguien se está acercando a ti o a otra persona es ver si su cuerpo está abierto y relajado, normalmente exponiendo el pecho. Esto es más común en los hombres. Las mujeres a veces se inclinan y apuntan su cuerpo hacia ti para mostrar interés en ti o en lo que dices.

Postura cerrada: es una buena forma de saber si alguien no está interesado o no está seguro de un determinado lugar o interacción. Normalmente se encorvará más como si se estuviera preparando para dormirse o se agachará si la situación lo requiere.

Brazos y piernas

La posición de las manos, donde la gente coloca sus manos, dice mucho sobre lo que quieren. Aunque la gente está familiarizada con la forma de leer los tocamientos de otras personas, rara vez se dan cuenta de que los movimientos y posiciones de las manos pueden ser también una forma de subcomunicación.

La puntería inconsciente: algunas personas, dependiendo de cómo se vean los gestos en su cultura, es probable que apunten sus manos o dedos en la dirección que quieran ir sin darse cuenta.

Manos ocultas: alguien que trata de ocultar sus manos doblándolas, metiéndolas en sus bolsillos o detrás de su espalda puede mostrar a menudo una actitud defensiva o engañosa. Instintivamente tratan de ocultar una parte de sí mismos.

Levantar la cabeza: la gente que usa una mano para levantar la cabeza es normalmente una señal de que están prestando atención lo mejor que pueden. Levantar la cabeza con ambas manos es más probable que signifique que están aburridos y listos para irse o dormirse.

Crear una barrera: las personas que mantienen sus brazos o algún objeto que sostienen frente a ellos, a menudo puede significar que lo están usando como una barrera entre ellos mismos y quienquiera que esté interactuando. Esto puede mostrar generalmente desinterés, aburrimiento o incertidumbre.

Cruzar los brazos: esto no siempre debe ser visto como un signo de desinterés o incluso de emoción negativa. En muchos casos, las personas seguras de sí mismas cruzarán sus brazos cuando se sientan cómodas o a cargo. Así que este debe ser leído con el contexto en mente.

Manos en las caderas: esta es una de esas posiciones que requieren contexto para entender. Mientras que este gesto a menudo puede ser visto como una muestra de ira, también puede mostrar confianza, dependiendo de la procedencia de la persona y su cultura.

Los pies apuntando a menudo pueden delatar las intenciones de algunas personas ya que son las cosas más fáciles de olvidar durante una interacción ya que son la parte del cuerpo más alejada del cerebro. Es más probable que los pies de las personas apunten hacia donde la persona quiere estar.

Piernas cruzadas: según el lugar donde creció la persona, la forma en que cruza las piernas puede indicar cuán cómoda se siente, dependiendo de si sus piernas se cruzan y se inclinan hacia la persona con la que está interactuando o se alejan de ella.

Expresiones faciales

La felicidad: normalmente viene en forma de una sonrisa donde los labios se retiran y se levantan. Sus mejillas se levantarán y se formarán patas de gallo alrededor de sus ojos. Sólo una de cada diez personas puede fingir las patas de gallo alrededor de los ojos.

Tristeza: las esquinas interiores de las cejas normalmente se juntan y se levantan mientras la boca hace pucheros y los labios se bajan en las esquinas. La mandíbula normalmente se adelanta. Este es considerado uno de los rostros más difíciles de falsificar.

Sorpresa: las cejas se levantan, estirando la piel debajo de ellas mientras se arruga la piel encima de ellas. La mandíbula normalmente se aflojará o caerá mientras que los ojos se abrirán más, haciendo más visible el blanco de los ojos.

Miedo: similar a cuando se sorprende, las cejas se elevarán, pero esta vez en una línea recta en lugar de una curva y las arrugas estarán más cerca del centro que a través de la frente. La parte blanca superior de los ojos suele aparecer mientras la mandíbula se afloja para gritar (vuelo) o respirar (lucha).

La mandíbula inferior se adelanta y las cejas se juntan y bajan formando arrugas verticales entre las cejas. Los labios se apretarán o formarán un cuadrado dependiendo de lo que la persona.

Disgusto: el labio superior normalmente se levantará, junto con el labio inferior. La nariz también se arrugará y las mejillas se elevarán. Se formarán líneas debajo del párpado inferior. Esta es la cara que la mayoría de la gente pone cuando huele algo malo.

Es la más fácil de detectar, ya que un lado de la boca se elevará, creando una especie de sonrisa. El resto de la cara a menudo permanecerá relajada.

Así que se vio que es muy sencillo manipular y controlar a la gente a través de medios simples, incluyendo el desbordamiento del amor, el enfurruñamiento, la restricción de las opciones, la psicología inversa y la psicología semántica (usando el poder de las palabras) para coaccionar a los demás a hacer cosas que creían que nunca harían.

Capítulo 1 - La importancia de analizar a las personas

Tu capacidad para analizar a las personas podría determinar si tendrás éxito o fracasarás. Los seres humanos son animales sociales. Casi siempre necesitamos la aportación de otros seres humanos para alcanzar nuestros importantes objetivos de vida. Pero, ¿qué pasa si nos enfrentamos a personas que no son aptas para sus roles? Sufrimos una derrota. Por lo tanto, es de suma importancia ser capaz de analizar a las personas. Los siguientes son algunos de los beneficios de analizar a las personas.

Te ayuda a conocer a tus aliados

Te guste o no, el mundo entero no te va a querer. Algunas personas estarán a favor de ti, y otras en contra. Para maximizar tus posibilidades de éxito, debes trabajar con gente a la que le gustes, mientras ignoras a los que no te gustan. Tu capacidad de analizar a la gente te ayudará a distinguir a los que están a favor de ti. Considerando que las personas pueden ser bastante complejas, tu capacidad de entender su verdadera personalidad no puede ser exagerada. Por ejemplo, si estás siguiendo una carrera que implica servir al público, te encontrarás rodeado de todo tipo de personas. Claramente, no todas esas personas te desean lo mejor. Sin embargo, al mismo tiempo, no todos están en contra de ti. En tal situación, tienes que tener mucho cuidado, para que no termines trabajando con tu enemigo que eventualmente te derribará. Si le cuentas tus secretos al enemigo, él saldrá corriendo y lo contará todo. Si te acercas lo suficiente al enemigo, puede sembrar malos pensamientos en tu mente, lo que hará que tomes la dirección equivocada. Todo esto se puede evitar agudizando tu capacidad de distinguir a la gente buena de la mala. Por supuesto, esta no es una habilidad que puedas desarrollar de la noche a la mañana. Tienes que practicar repetidamente hasta que seas bueno en detectar los falsos.

Ayuda a evitar el conflicto

En la mayoría de los casos, el conflicto surge debido a la disparidad de expectativas. En una relación, si el hombre espera una cosa de su pareja, y su deseo nunca se cumple, puede causarle dolor. Y viceversa es cierto. Este es el tipo de escenarios que causan conflicto en una relación. Si el hombre se hubiera tomado el tiempo para entender cómo es realmente su pareja, no se sorprendería en un momento posterior, cuando su pareja se comportara de cierta manera. Por lo tanto, es importante entender a la persona con la que se está estableciendo una relación, ya que esto minimizará tus peleas. Analizar a una persona te ayuda a entender sus desencadenantes. Tienes la oportunidad de decidir si quieres involucrarte con ellos o no. Si estás buscando una pareja de por vida, hay algunas cosas que no puedes comprometer, por lo que debes analizar a los posibles candidatos para averiguar si poseen o no estas características. Si ignoras este paso, corres el riesgo de tener un matrimonio tumultuoso. Entender cómo son las personalidades de otras personas es una forma de educarse a sí mismo sobre cómo actuar o no actuar frente a estas personas. Cuando aprendas que a alguien no le gustan los chistes cursi, dejarás de actuar de forma cursi, y al mismo tiempo, cuando te des cuenta de que alguien tiene una actitud muy divertida, intentarás no ser aburrido.

Te permite apreciar la diversidad

Los seres humanos son increíblemente diversos. Y esto es algo bueno. No puedes entender realmente esta diversidad hasta que prestes atención a otras personas. Alguien que viene de Asia puede exhibir ciertos rasgos de personalidad que difieren del americano medio. Esta no es una oportunidad para golpear al asiático por ser diferente a ti, sino más bien, es una oportunidad para apreciar la singularidad de los asiáticos. Las personas que golpean a otros por ser diferentes a ellos son simplemente de mente estrecha. Analizar a las personas te da el poder de reconocer y aceptar nuestras diferencias. Te hace una persona más culta. Si viajas a otras partes del mundo, encajarás fácilmente porque tienes una mentalidad de adaptación. Por otro lado, alguien que se opone al reconocimiento y apreciación de la diversidad se encontrará en desacuerdo con personas que no son como él.

Te ayuda a afinar tus objetivos

No vivimos en el vacío. Las acciones, palabras y comportamientos de otras personas nos afectarán. Cada persona tiene un ídolo al que admirar. Tu ídolo es la persona con la que querrías intercambiar vidas. Además de darte esperanza, tu modelo a seguir te da la oportunidad de estudiar las diversas cualidades que necesitarás en esa línea de trabajo. Por ejemplo, si quieres ser periodista, debes saber que no se trata sólo de tener conocimientos de idiomas, sino que debes mejorar tu personalidad, para que más gente no sólo se sienta cómoda a tu alrededor, sino que se abra y revele sus secretos. Cuando asumes la práctica de observar con atención a otras personas, estás en posición de determinar qué carrera profesional se ajusta a tus cualidades.

Te ayuda a entender las motivaciones de la gente

Al final del día, hay un motivo detrás de cada acción, pero estos motivos no siempre son obvios. Algunas personas revelarán instantáneamente quiénes son, pero hay gente que intentará restarle importancia a su imagen real. Pero si eres un buen observador, siempre puedes saber lo que está pasando. Al tomarte tu tiempo para analizar a la gente, estás en una posición mucho mejor para entender cuáles son sus objetivos. Tener este conocimiento te ayuda a tomar decisiones que te ayuden a mantenerte a ti mismo. Las personas manipuladoras son conocidas por actuar o hablar de una manera que no traiciona su agenda manipuladora. A menos que seas muy cuidadoso en tu análisis de su persona, podrías pasar por alto su motivo, y convertirte en otra de sus víctimas.

Te ayuda a entender los puntos fuertes de una persona

Todo ser humano tiene tanto debilidades como fortalezas. La razón por la que algunos de nosotros tenemos éxito es que capitalizamos nuestras fortalezas. No capitalizar nuestras fortalezas puede hacernos sentir desilusionados con la vida. La habilidad de identificar nuestras fortalezas es importante para identificar las fortalezas de otras personas. Así, cuando busques a alguien con quien trabajar, estarás en posición de identificar sus fortalezas y debilidades, lo que hará que tu equipo sea de alta calidad.

Ayuda a predecir el comportamiento

Su capacidad para analizar las personalidades es vital para predecir cómo actuarán varias personas en diferentes circunstancias. La vida no es un viaje tranquilo. Hay muchos desafíos que se encuentran en el camino. Además, en su mayor parte, el éxito depende de cómo manejamos los desafíos. Ser capaz de analizar varias personalidades te permite entender cómo la gente reaccionará a los desafíos. Por ejemplo, si notas que alguien tiene las marcas de una personalidad violenta, o tiene problemas de ira, tal vez quieras saltarte a esa persona porque su naturaleza violenta se hará pronto evidente.

Capítulo 2 - ¿Cómo analizar a la gente usando la psicología oscura?

Mientras que algunas personas usan tácticas de psicología oscura específicamente para herir y dañar al objetivo deseado, hay muchos de nosotros que la usan sin siquiera ser conscientes de que estamos manipulando el funcionamiento de las mentes de otras personas. Estas tácticas son intencionalmente y/o no intencionalmente imbuidas en nuestro sistema a través de varios medios, incluyendo:

• Durante nuestra niñez de ver cómo los adultos, especialmente los padres, se comportaron

• Durante nuestra adolescencia, a medida que nuestras mentes y nuestra habilidad para entender los comportamientos crecían y se expandían

• Viendo a otros tener éxito con el uso de estas tácticas

• Usando una táctica sin intención al principio pero cuando funcionó para conseguir sus deseos, empezando a usarla intencionadamente

• Algunas personas (como vendedores, oradores públicos, políticos, etc.) son entrenados para usar estas oscuras tácticas para lograr sus fines

El detalle de cómo se utilizan estas psicologías oscuras en nuestra vida cotidiana y más tarde podemos ver cómo hay algunas personas que lo utilizan deliberadamente y con la intención de dañar o engañar u obtener ventajas indebidas.

Tácticas de psicología oscura comúnmente utilizadas

El amor inunda - Elogiando, alabando, y untando a la gente para que sigan tus órdenes y/o cumplan con tu petición.

Mentir - Dar versiones falsas de los acontecimientos, exagerar, dar verdades parciales, etc. para conseguir que se hagan las pujas.

Negación del amor - Retener el amor y el afecto hasta que consigas lo que quieres de tus seres queridos

Retirada - Dar el tratamiento de silencio o evitar a la persona hasta que sus peticiones y necesidades sean atendidas

Restringir las opciones - Darle a la gente acceso a opciones que los distraigan de las otras opciones que no quieres que hagan

Manipulación semántica - Esta es una técnica muy poderosa en la que el manipulador utiliza palabras comúnmente conocidas con significados aceptados durante una conversación, pero más tarde elige decir que él o ella quería decir algo diferente al usar esa palabra en particular. Este nuevo significado podría cambiar toda la definición de la(s) palabra(s) implicada(s) y podría dirigir el resultado de la conversación hacia lo que el manipulador quería.

Psicología inversa - Decirle a alguien que haga algo de una manera particular para que haga lo contrario, que es exactamente lo que quieres que haga.

Uso deliberado de tácticas oscuras

Aquí hay una pequeña lista de personas que usan tácticas de psicología oscura de forma deliberada

Narcisistas - Las personas diagnosticadas clínicamente con narcisismo tienen un sentido hinchado de autoestima y se ven obligadas por la necesidad de hacer creer a los demás que son superiores. Con el fin de realizar sus profundos deseos de ser adorados y venerados por todo el mundo, los narcisistas son conocidos comúnmente por utilizar la psicología oscura y las tácticas persuasivas no éticas.

Sociópatas - Los sociópatas diagnosticados clínicamente son persuasivos, inteligentes y encantadores también. Sin embargo, carecen de emoción y no sienten remordimiento por lo que no dudan en usar tácticas de psicología oscura para crear relaciones superficiales con los demás y luego aprovecharse indebidamente de estas personas.

Abogados - Impulsados por una profunda pasión por ganar todos y cada uno de los casos a su cargo, los abogados, muy a menudo, utilizan tácticas de psicología oscura para obtener los resultados deseados.

Políticos - Usando tácticas de psicología oscura, los políticos convencen a la gente para que voten a su favor convenciéndoles de que su punto de vista es el perfecto.

Vendedores - Este grupo de personas están tan enfocados en lograr sus números de ventas que no lo piensan dos veces antes de manipular a la gente usando la persuasión oscura y otras tácticas poco éticas para convencer a la gente de su necesidad extrema de un producto o servicio que están vendiendo.

Líderes - Hay muchos líderes que utilizan técnicas de psicología oscura para conseguir que sus subordinados y miembros del equipo cumplan más, trabajen más duro o se desempeñen mejor, etc.

Oradores públicos - Hay oradores públicos que pueden utilizar tácticas oscuras para elevar el estado emocional de una gran audiencia sabiendo muy bien que esto conducirá a mayores ventas de trastienda de los productos y servicios que están ofreciendo.

Gente egoísta - Podría ser cualquiera que siempre ponga sus necesidades por encima de las de los demás. Están dispuestos a dejar que otros renuncien a sus beneficios para que ellos mismos se beneficien. No tienen problemas con los resultados de ganar o perder donde ellos ganan y otros pierden.

Esta lista te hace consciente de esas personas que pueden manipularte para que hagas cosas que no quieres hacer y la segunda es para ayudarte con la auto-realización. ¿Utilizas las tácticas que estas personas usan para conseguir lo que quieres? ¿Cómo puedes entonces discernir entre las tácticas éticas y las oscuras para que haya un bien para todos los interesados? Además, conocer estas tácticas de psicología oscura y las personas más propensas a usarlas te pondrá en guardia y te hará darte cuenta si alguien las está usando para causarte daño.

El uso de tácticas oscuras puede funcionar a corto plazo, pero está destinado a hacer un bumerán cruel sobre ti y a afectar negativamente elementos como las prácticas comerciales sostenibles, la lealtad de los empleados y/o clientes y los beneficios sostenibles.

La pregunta que debes hacerte es esta: ¿Lo que estoy haciendo es de ayuda para la otra persona? Sí, también puede ayudarte a ti. Sin embargo, la otra persona es más importante en este ámbito. Si es sólo para tu propio beneficio, entonces definitivamente estás usando tácticas oscuras. Si puedes ver claramente el bien para la otra persona, entonces fácilmente cae en tácticas de persuasión ética.

- ¿Por qué quiero usar la técnica? ¿Quién se beneficia de ella y cómo?

- ¿Me siento bien con el enfoque que estoy tomando?

- ¿Hay total transparencia y honestidad en la transacción?

- ¿Obtendrá la otra persona beneficios a largo plazo de esta transacción?

• ¿Habrá más confianza entre la otra persona y yo cuando se complete esta transacción?

Las respuestas a la pregunta anterior son fundamentales para determinar si una táctica de psicología oscura dará lugar a una situación en la que todos salgan ganando. Una situación mutuamente beneficiosa es lo que debería ser la intención de saber claramente si el uso de tácticas oscuras es bueno o no.

Así que, de nuevo, puedes ver que es muy fácil de manipular y ser manipulado dependiendo de en qué lado de la ecuación de poder estés. Esto también tiene la intención de ayudarte a entender y reevaluar cuál es tu propia posición sobre el uso de la psicología oscura en tu vida, incluyendo en los ámbitos de tu profesión, tu liderazgo, tus relaciones personales, la crianza de los hijos, y todas las demás formas de relaciones.

Uso de la psicología oscura en el modo online

En el mundo actual, impulsado por Internet, este capítulo quedará a medias si no menciono el uso de Internet por parte de personas sin escrúpulos para atraer víctimas y causar daños utilizando tácticas de psicología oscura. El ciberespionaje es una actividad delictiva común que los organismos encargados de hacer cumplir la ley se esfuerzan por mantener bajo control.

Facilidad de engaño - Es muy fácil engañar a la gente en línea impulsada por el velo de anonimato que proporciona Internet. El sigilo y el camuflaje son los principales instintos de supervivencia de todos los seres vivos y las personas sin escrúpulos encontrarán muy tentador utilizar estos instintos para victimizar a través de Internet.

No hay acceso a la persona física - Esto aumenta la facilidad del engaño ya que la víctima no puede ver o leer los aspectos no verbales de la comunicación, incluyendo el lenguaje corporal, los rasgos faciales, etc.

La parte más desconcertante del engaño en línea es el hecho de que las víctimas son plenamente conscientes de que aquí podría estar ocurriendo algo malo y, sin embargo, no dudan en dar el paso.

Comprensión del rostro humano

Leyendo los ojos

La mirada de poder: esto sucede durante las interacciones sociales, como las entrevistas, en las que una persona (normalmente en la posición de poder) está evaluando a la persona con la que está hablando. Esto normalmente tomará la forma de alguien que mira hacia atrás y adelante entre sus ojos y su frente, haciendo un pequeño triángulo con sus ojos.

Mirada social: esto sucede entre personas que se conocen bien y tienen una relación cercana. Mirarán de ojo a ojo, y luego a los labios. Sin embargo, sus ojos pueden ocasionalmente salir disparados a través de otras partes de la cara, pero el triángulo seguirá apareciendo.

La mirada íntima: esto ocurre entre dos personas que están muy unidas o que acaban de tener un encuentro que les ha hecho sentir muy unidos. Los ojos se precipitarán hacia atrás y adelante entre los ojos y luego hacia abajo en el pecho, no necesariamente en el pecho, aunque eso también sucede.

Parpadear - esto puede ser un signo de nervios, y potencialmente un engaño, si ocurre con una frecuencia más alta de lo normal. La reducción del parpadeo también puede ser una señal de que alguien es consciente de su parpadeo y está tratando de controlarlo.

Pupilas: las pupilas son una gran manera de ver qué, o quién, alguien puede querer ya que las pupilas tienden a dilatarse cuando miramos algo que queremos. Esto sucede para que el ojo pueda recibir más luz y ver mejor.

Bloqueo de los ojos: suele ser un signo de que alguien no está interesado o no está impresionado y simplemente no quiere seguir mirando a alguien o algo. Ver a alguien frotándose los ojos y escondiéndose mientras habla no suele ser una buena señal.

Boca

Labios fruncidos: esto puede indicar que alguien siente disgusto, desconfianza o desaprobación durante una cierta interacción. Esto puede ocurrir durante menos de un segundo, pero puede ser útil recordarlo para leer a algunas personas.

Mordida de labios: esto es normalmente un signo de que alguien está nervioso, estresado o ansioso. Otra ocasión en la que alguien puede hacer esto es si está excitado.

Movimiento

Espejo: es una buena forma de ver si alguien está totalmente involucrado en una interacción o no. El espejado suele ocurrir cuando estamos cerca de gente que admiramos, en la que confiamos o que nos gusta. Considere la posibilidad de cambiar su postura o de utilizar una cierta acción pequeña, como un ligero cambio de peso, para ver si alguien le copia.

Asentir con la cabeza: las personas pueden asentir con la cabeza rápidamente cuando están escuchando pacientemente a alguien. Sin embargo, asentir rápidamente con la cabeza suele ser una señal de que alguien está ansioso por empezar a hablar por sí mismo o simplemente por irse lo más rápido posible.

Sacudir la cabeza: sacudir la cabeza de lado a lado puede suceder cuando las personas no están de acuerdo o no creen en algo. Se dice que es una de esas expresiones que se forman por la forma en que aprendemos a rechazar la comida cuando somos niños.

Inclinar la cabeza: alguien que inclina la cabeza de lado se hace a menudo cuando alguien está escuchando atentamente. Inclinar la cabeza hacia atrás, sin embargo, puede ser un signo de sospecha o incertidumbre.

Capítulo 3 - Comprensión de las intenciones

Si tuviéramos la guía definitiva para detectar un interés romántico, Tinder se iría a la quiebra. Dicho esto, no es difícil identificar los signos reveladores si alguien está interesado en ti. Es cierto que algunas personas no se dan cuenta, pero si te concentras, te darás cuenta si esa persona está interesada en ti o si sólo está coqueteando.

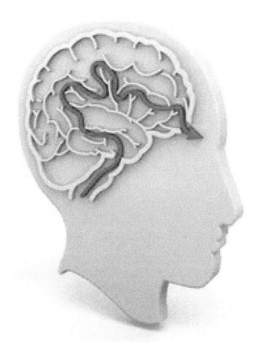

Cómo decodificar si alguien está interesado en ti sentimentalmente

Normalmente, ese alguien especial comienza con un conocido casual, lo que lleva a la amistad, y antes de que te des cuenta, miras a ese amigo bajo una luz diferente y sigues pensando en él. ¿Sienten ellos lo mismo que tú? Identificar si alguien está interesado en ti románticamente requiere una cuidadosa y hábil interpretación de las señales y acciones.

Aquí hay 10 maneras de averiguar si alguien está románticamente interesado en ti o si sólo está coqueteando por la emoción de ello:

1. SUS CONVERSACIONES contigo

Las CONVERSACIONES, significativas, son una de las formas en que una persona muestra un interés más profundo en ti y en lo que haces. ¿Siguen haciéndote preguntas en un intento de mantener la conversación? Presta atención a las preguntas que hacen porque puede decirte si realmente muestran interés en las cosas que haces y te gustan. Una buena y larga conversación sobre lo que te gusta, lo que no te gusta, tu música favorita, etc., es un signo clásico de que a alguien le gustas de verdad y de tu compañía. Si estás disfrutando de la conversación y la otra persona está participando en ella sin parecer aburrida o bostezar, es una señal de que ambas partes están igualmente interesadas en el otro.

2. SEGUIRÁN tropezando contigo

Llámalo destino pero también puede ser una señal de que les gustas y que están planeando cualquier oportunidad para conocerte. Esto es dulce pero también puede ser espeluznante si se parece demasiado al acecho. Si sientes que esta persona te está siguiendo o te sientes incómodo de repente, escucha tu instinto y haz un informe. El acecho es serio y peligroso. Sin embargo, si te encuentras con alguien en lugares como la cafetería o el comedor o la cafetería del vecindario y no en lugares específicos como el gimnasio al que has estado yendo durante años, tu casa o, de todos modos, en lugares específicos y privados, presenta una queja.

3. Hablan de los planes futuros

Otra señal de que alguien podría estar románticamente interesado en ti es si planean más fechas o empiezan a hablar del futuro próximo porque te ven claramente en él. No se trata de planes de matrimonio o de compra de una casa, sino de cosas sencillas como un concierto en tu zona al que les gustaría llevarte o incluso una fiesta de amigos dentro de una semana a la que les gustaría que fueras. Tienen estos próximos eventos y les gustaría que fueras parte de ellos.

4. Cinco minutos más

Si alguien está interesado en ti, lo más probable es que quiera pasar unos minutos más contigo. No les importa ajustar su horario sólo para poder pasar 5 minutos más para hablar contigo o incluso pasar esos 5 minutos extra en el teléfono sólo para poder seguir hablando contigo. El hecho de que lo hagan también indica que tienen sentimientos románticos hacia ti.

5. Razones para pasar tiempo juntos

"Estoy en la zona... ¿quieres comer algo?" o "¿Estás resfriado? Puedo hacer una sopa de pollo, la traeré' o incluso '¿Qué estás haciendo ahora mismo? ¿Quieres que vayamos a cenar juntos? No te equivoques, puede ser que a la persona le guste pasar tiempo contigo simplemente porque eres una persona guay con la que pasar el rato, pero si estas razones se siguen acumulando y sólo os involucran a vosotros dos, probablemente sea una gran señal de que le gustas a esta persona.

6. Observa su lenguaje corporal

Si le gustas a alguien, refleja tu lenguaje corporal y tus movimientos. Se sienta más cerca, se inclina, sonríe cuando tú sonríes, encuentra maneras de tocarte (no de una manera espeluznante) como rozando tu hombro, poniendo un mechón de tu pelo detrás de tu oreja - todos estos son signos clásicos de coqueteo y, si te sientes incómodo, dilo, pero si lo estás disfrutando, esta persona está claramente interesada en ti.

7. Los elogios son abrumadores

Elogiar a alguien excesivamente puede ser un signo de besar el culo o de intentar ser amable. Pero si esta persona te felicita sinceramente, puede ser que esté interesada en ti. Busca señales verbales como elogiar tu elección de moda o la forma en que te peinas. Puede ser que sólo estén siendo amigables, pero el hecho de que dejen de hacerte cumplidos cada vez que te encuentras es una gran señal de que están interesados en ti.

8. Recuerdan las pequeñas cosas

CUANTO MÁS CERCA ESTÁS de alguien, más información le das. Tu interés romántico recogerá muchas cosas interesantes sobre ti y las guardará en su memoria a largo plazo y estas cosas pueden ser tu color favorito, tu sabor favorito de helado, la primera película que vieron juntos, donde se conocieron por primera vez - todo esto es una indicación de que esta persona está realmente interesada en ti.

9. Iniciadores de la conversación

ALGUNAS PERSONAS SON tímidas y no son muy habladoras, así que aunque esto es algo de lo que hay que tomar nota, no puedes ser el único que inicie el contacto todo el tiempo. Si alguien está dispuesto a conectarse a pesar de ser tímido, eso significa que realmente quiere hablar contigo. Tener iniciaciones unidireccionales para todo es un NO definitivo de que a la otra persona no le gustas y no ve la necesidad de pasar el tiempo para hablar o incluso conocerte, pero si ellos inician el contacto tanto como tú, eso es una señal segura de que están por ti.

10. Otras personas están fuera de los límites

Toma nota de cuando una persona habla de otra persona, ¿habla mucho de otras chicas o chicos cuando está contigo? ¿O la conversación se centra sólo en ti y en tu persona? Lo que una persona dice en una conversación y cómo se refiere a otras personas de su círculo social puede darte pistas reales sobre si está interesada en ti de forma romántica. Hablar de una cita con una chica o un chico no es realmente un buen indicio de que le gustes a esa persona.

Confiar en tus sentimientos e intuiciones en todos estos posibles escenarios es la mejor apuesta. Recuerda que diferentes personas hacen cosas diferentes para mostrar a alguien que les importa o que están interesados en ellos y los valores culturales, la educación y las normas sociales también juegan un papel importante en la identificación de estos signos, por lo que nada está escrito en piedra. Todas las señales descritas anteriormente son una buena señal de que una persona está interesada en ti, especialmente si le gusta pasar más y más tiempo contigo. Incluso si no estás seguro, puedes exhibir signos de que te interesan para que ellos también tengan una idea, pero estar seguro, diciéndole a alguien que te gusta, y que te gustaría conocerlo mejor e incluso empezar a tener citas es la mejor manera de prevenir cualquier malentendido o falta de comunicación entre dos personas.

Por supuesto, el juego del amor no es tan sencillo como eso. Se necesita un poco de experiencia en citas para averiguar si alguien está por ti o no, o puedes simplemente hacer el viejo y bueno ensayo y error, conseguir que te rompan el corazón, besar a todos los sapos hasta que conozcas a tu príncipe o princesa encantadora.

Nunca te dejes sorprender por una mentira

La mayoría de las mentiras que la gente dice no son detectadas. Esto sucede porque aparte del hecho de que mucha gente no sabe cómo tratar con los mentirosos, no saben cómo leerlos en primer lugar. A algunas personas no les importa o no creen que la mentira sea algo por lo que valga la pena armar un escándalo. Piensa en el número de mentiras que le dijiste a tus padres cuando estabas creciendo, por ejemplo. Si lo recuerdas correctamente, nada de eso se te pasará por alto si tus hijos lo prueban contigo hoy. ¿Cómo es que tus padres te dejaron ir fácilmente?

El ejemplo anterior trata sobre mentiras muy simples, que, en la mayoría de los casos, no causan ningún daño. Sin embargo, algunas mentiras tienen efectos de gran alcance, y si no las enfrentas cuando deberías, forman una receta para el desastre. Cuando uno se sale con la suya con las mentiras, se forma un patrón, y a medida que pasa el tiempo, se abraza a las mentiras como la mejor opción para lidiar con todo.

¿Qué haces con las mentiras? ¿Cómo lidias con un mentiroso en tu vida? Tal vez sea alguien tan cercano a ti que no puedes deshacerte de él, pero puedes soportarlo de alguna manera. Los siguientes son consejos útiles que te ayudarán a aprender a manejar mejor la situación:

Priorizar la seguridad personal. Tu seguridad es más importante que cualquier otra cosa. Incluso si quieres salvar la relación, no significa nada si no puedes disfrutar de los resultados. Antes de confrontar a alguien por sus mentiras, siempre asegúrate de estar a salvo. Examine el entorno y asegúrese de que no le ocurra ningún daño.

Nunca se puede estar demasiado seguro de cuál será la naturaleza de la confrontación o en qué se puede convertir. Por eso, es seguro llevar a alguien más como amortiguador, por si las cosas se salen de control. Esto es cierto porque, muchas veces, cuando la gente se enfrenta a sus mentiras, pueden ser agresivos para asustarte y dejar el tema por completo.

Diferenciar las mentiras de la verdad. Puede que no sea fácil leer tanto en las palabras de alguien, pero se puede decir mucho de su lenguaje corporal. Esta es una buena oportunidad para que puedas diferenciar entre la verdad y las mentiras. El conocimiento de algunos de los síntomas por los que se le miente puede ayudarte a identificar algunos indicios de que alguien no es honesto contigo. Necesitas ser consciente de sus patrones de comportamiento.

Salga de la situación. No puedes resolver todo al mismo tiempo. En algunas confrontaciones, es mejor si sabes el momento adecuado para salir de la ecuación. Cuando te das cuenta de que las cosas se están calentando, tienes que dar un paso atrás y evaluar tu posición desde lejos.

Si la relación que compartes con la persona con la que te enfrentas significa algo para ambos o para alguno de los dos, el hecho de enfriarse les permitirá a ambos reflexionar sobre lo que se ha dicho, y para cuando vuelvas a discutirlo de nuevo, puede que tengas más posibilidades de manejar bien el asunto.

Recuerden que aunque salgan de la situación y vuelvan a ella más tarde, puede que pase un tiempo antes de que el mentiroso deje de mentir por completo. Algunas personas nunca lo hacen. Simplemente eligen a las personas a las que mienten y a las que son fieles. Con esto en mente, recuerda que si decides quedarte y mantenerlos a tu lado, este es un viaje que puede llevar mucho tiempo, y puede que necesites buscar ayuda profesional. También debes notar si están dispuestos a cambiar o no. Es inútil intentar cambiar a alguien que no tiene intención de hacerlo.

Empatizar. En la medida en que tú estás tratando de entender y tratar con un mentiroso, recuerda que algo está mal con ellos, por lo que debes empatizar. Puede haber varias razones por las que eligen las mentiras en lugar de la verdad. Demuéstrales que entiendes, especialmente si sabes que sus mentiras son un mecanismo de autodefensa.

Muchos mentirosos compulsivos necesitan ayuda profesional. Cuando se trata de empatía, en algunos casos, ni siquiera necesitas hablar. Sólo tienes que estar ahí para ellos y escuchar. Por mucho que te resulte doloroso verlos pasar por esta experiencia, también es lo correcto. No juzgue. Escúchalos. Explica sus razones. Si te das cuenta de que también están mintiendo sobre eso, llámalos e implórales que se tomen en serio tu preocupación. En algún momento, tendrán que confesar.

Identifique el tipo de mentiras. La gente dice diferentes tipos de mentiras. Mientras que algunas mentiras causan destrucción y dolor, otras son simplemente inofensivas. Sería ideal que aprendieras a identificar la diferencia entre una mentira inofensiva y una nefasta.

Por supuesto, sostenemos que no está bien mentir, pero a veces es inevitable. Si puedes diferenciar entre estas dos situaciones, estás en una mejor posición porque puedes determinar cómo manejar la situación en el futuro.

Para una mentira piadosa, aunque sea inofensiva, no olvides recordarle al mentiroso que sabes lo que hizo. Adviértales de las consecuencias y recuérdeles que no se saldrán con la suya la próxima vez. Es inseguro ignorar tales mentiras porque si se acostumbran a ello, sólo puede haber un resultado, y no es uno grande.

Pida ayuda. Los conoces mejor que nadie, así que es muy probable que necesites ayuda para manejar la confrontación. Consigue ayuda. Traiga a profesionales u otros miembros de la familia que crea que pueden ayudarle a manejar mejor la situación.

Introducir a alguien más en el cuadro proporciona una perspectiva de terceros, lo que proporciona un terreno común para todos ustedes. Recuerden que si traen a un tercero, no debe ser alguien que intimide a la persona que están confrontando. De lo contrario, pueden optar por encerrar sus sentimientos e ignorar el asunto por completo.

Mantengan la calma. Necesitas mantener la calma cuando te enfrentes a un mentiroso. Recuerda que tienes el poder en esta conversación desde que los confrontaste por ello. Trate de no perder los nervios porque puede terminar en una discusión que no resuelva nada.

Explícales de la mejor manera posible lo que sus mentiras le han hecho a tu vida, tu relación con ellos, y lo más importante, la confianza entre los dos. A menos que estén dispuestos a trabajar y reparar el daño, recuérdales que habrá consecuencias, y decláralas claramente.

Al confrontarlos con las mentiras, recuerden que deben mantener la situación en calma y acogedora para que no sientan que se están confabulando o que están siendo emboscados. Por mucho que sientas que te hacen daño, la tuya es la voz de la razón, así que intenta mantener la calma.

Confrontación saludable. Confrontar a un mentiroso no es fácil, especialmente para alguien cercano a ti. Sin embargo, una parte de su mente lo sabe, y sabe lo mucho que luchas para enfrentarte a ellos. Siempre hay una buena manera de confrontar a alguien acerca de sus mentiras.

Primero, asegúrate de hacerlo en privado. Nunca los enfrentes en público porque esto sólo los avergonzaría. Antes de la confrontación, asegúrate de tener suficientes pruebas para respaldar tus afirmaciones. Los mentirosos patológicos son artistas, así que puedes esperar que se resistan y traten de representarlo como algo más. Incluso podrían insistir en que tú estás fuera para hacerles daño. Sin embargo, debes ser firme porque lo hace por un bien mayor, que es ayudarlos.

Siempre guarda las pruebas. A veces la manera más fácil de ayudar a alguien es enfrentarlo de la manera más dolorosa: exponiéndolo. Debes tener cuidado con esto porque la exposición puede resultar contraproducente si no se hace correctamente. Mucha gente ha sufrido diferencias irreparables y nunca se han reconciliado. Lo primero que debes hacer si vas a exponer a un mentiroso es asegurarte de que el ambiente sea conveniente. Si tienes que hacerlo frente a la gente, hazlo en presencia de personas que se preocupen por ellos, que estén dispuestas a apoyarlos si están dispuestos a cambiar.

Desde el momento en que descubra sus mentiras, reúna tantas pruebas como sea posible. Documéntelo si es posible para que sea congruente con la historia y ayude a evitar lagunas en su argumento. Recuerde que la idea no es sólo exponerlos y avergonzarlos en el proceso. Se trata de exponerlos para hacerlos darse cuenta de sus errores y animarlos a cambiar sus vidas para mejor. Es posible. Tienes que encontrar una manera de hacerlo amablemente sin hacerles sentir que son unos parias. Esto es importante porque algunos mentirosos habituales ya luchan con condiciones mentales que les hacen sentir que son diferentes. Señalarlos sin rumbo puede ser contraproducente si no se hace correctamente.

Determinar el tema de interés. Los mentirosos habituales pueden mentir todo el tiempo, pero si tú eres perspicaz, puedes identificar un patrón en sus mentiras. Siempre hay algo que los impulsa a mentir, especialmente algo que sienten muy de cerca y profundamente. Más a menudo, esto sucede porque tienen miedo de confrontar la verdad sobre sus vidas.

En este caso, la mentira se convierte en su mecanismo de entrada cuando se sienten amenazados o si su posición en el asunto es cuestionada.

Las pautas repetitivas indican un problema sistémico, lo que significa que lo que les preocupa sobre el tema está profundamente arraigado en sus mentes, y sería aconsejable buscar ayuda profesional. Si no se trata de una preocupación seria, tal vez sería mejor dejar las cosas como están, y en lugar de darles la oportunidad de mentir, se les puede ganar a su juego y cambiar el tema a otra cosa.

En conclusión, una de las cosas más importantes que debes entender es que las mentiras son diferentes y dependen del tipo de situación. Los mentirosos se desencadenan por diferentes cosas en su entorno. Así como cada mentira es diferente, también lo es el mecanismo de detección de mentiras. No hay un método único para detectar o tratar con los mentirosos. Más a menudo, dos cosas son casi siempre constantes: su conciencia de la situación y el contexto. Si puede perfeccionar estas dos, puede dominar fácilmente otras habilidades y aprender a identificar a los mentirosos reconociendo las claves verbales y no verbales y otros rasgos.

Capítulo 4 - Análisis de las funciones cognitivas

Las funciones cognitivas se definen como actividades mentales que implican conocimiento, razonamiento, memoria, lenguaje y otra información que se utiliza para tomar decisiones en nuestras vidas y para el propósito de la comunicación. Utilizamos lo que aprendemos para realizar tareas en la vida, como tomar decisiones, presupuestar nuestras finanzas, traducir de un idioma a otro y/o encontrar la(s) razón(es) y/o propósito(s) detrás de algo. La forma en que adquirimos la información, la procesamos y la utilizamos más tarde es vital para nuestro desarrollo y la comunicación con los demás. También puede estar fuertemente influenciado por nuestras relaciones con otras personas, lugares y situaciones.

Hay varias maneras en las que nuestra mente adquiere y absorbe nueva información:

Sentido extrovertido

Esto se refiere a cómo adquirimos información a través de nuestros cinco sentidos (gusto, olfato, vista, oído y tacto) y cómo estas experiencias se traducen en nuestra mente para retener y desarrollar esta información. Cuando probamos un nuevo alimento u observamos una nueva especie de animal, se convierte en una experiencia de aprendizaje que adquirimos y "archivamos" en nuestra mente para futuras referencias y conocimientos.

Sentido introvertido

Esto se refiere al recuerdo de una experiencia anterior tal como fue recordada. Este nuevo olor de una flor descubierta una semana antes, o el sonido de la voz de alguien que conoció recientemente en una conferencia. Cuanto más impactante o única sea la experiencia, más probable es que recuerdes y recuerdes más vívidamente el evento, la persona o el objeto.

Pensamiento extrovertido

Este es un proceso en el que hacemos un juicio o decisión basado en hechos o elementos externos que tomamos en consideración. Un ejemplo sería hacer un juicio rápido inmediatamente después de un accidente de tráfico, que implica contactar con una emergencia sin dudarlo. Esta es una decisión rápida o "instantánea" basada en la información externa disponible en ese momento. En los casos en que hay un peligro inminente o parece haber una amenaza (un desastre natural o un incendio próximo), la decisión de desocupar, y luego hacer otros planes es parte del proceso de pensamiento extravertido. Estas decisiones se toman sobre la base de hechos objetivos y externos que pueden influir en nuestras emociones, aunque sólo requieren observación para determinar los siguientes pasos y decisiones a tomar.

El pensamiento introvertido

Este proceso de toma de decisiones se basa en necesidades y valores internos y personales, en contraposición a elementos externos y objetivos. A menudo, los juicios o las decisiones tomadas mediante un pensamiento introvertido tienden a basarse más en las emociones y en la naturaleza personal, y pueden o no tener en cuenta los factores externos. Un ejemplo sería abandonar abruptamente una habitación o una conversación cuando alguien hace una broma o un comentario ofensivo o responder con una objeción si el comentario tiene un impacto personal.

La forma en que procesamos, retenemos y utilizamos la información que adquirimos varía según cómo la percibimos y recordamos. Este proceso también impacta en la forma en que nos comunicamos con otras personas y en la forma en que éstas leen nuestras señales verbales y no verbales.

Es importante familiarizarse con los diferentes tipos de comunicación, ya que éstos pueden servir como "ventana" para comprender más sobre cómo se nos percibe y cómo nos comunicamos con los demás.

Comunicación verbal

La forma en que nos expresamos verbalmente a otra persona o dentro de un grupo es la forma más común de comunicación. La forma en que hablamos con otras personas y la forma en que se comunican con nosotros tiene un impacto en nuestra respuesta y percepción. Si bien es importante comprender las señales y la comunicación no verbal, hay elementos en una expresión verbal que es igualmente vital conocer:

El tono, el énfasis o la falta de énfasis de una persona en ciertas palabras, frases y discurso puede variar mucho dependiendo de sus intenciones. Por ejemplo, una simple frase puede parecer sin importancia o sin importancia si se pronuncia en un tono de voz monótono o poco entusiasta. Si la persona es conocida por hacer comentarios o declaraciones sarcásticas, una expresión aburrida puede indicar sarcasmo o simplemente falta de interés. Si la misma frase o declaración se pronuncia con más entusiasmo o excitación, puede generar más atención y una respuesta igualmente excitante. A veces no es lo que decimos, sino más bien cómo lo decimos.

El volumen y la velocidad con que hablamos y ser un indicador de nuestro estado de ánimo o actitud en torno a un tema o evento específico. Por ejemplo, si decimos "Tengo que ir a la escuela" con una voz lenta, tranquila y monótona, puede significar aburrimiento o desagrado en la asistencia a la escuela.

Por otro lado, si hacemos la declaración con más alegría y la expresamos en voz alta, puede indicar algo más positivo. Hablar rápidamente y tropezar con las palabras puede indicar nerviosismo o miedo, mientras que hablar en voz alta con un tono deliberado puede denotar enojo o frustración.

Los sonidos verbales, como los suspiros, las risas, las pausas o el uso de palabras de "relleno" como "umm" o "uh" pueden indicar una variedad de diferentes estados de ánimo o impresiones.

Hacer una pausa durante una frase o conversación puede ser una señal de que está pensando antes de hablar, o simplemente "buscando" las palabras o la descripción adecuadas para usarlas como respuesta. Los suspiros pueden ser un signo de frustración, desesperación o pena. También puede indicar que está cansado y que no quiere seguir hablando. La risa suele indicar un comentario alegre o humorístico, o puede indicar nerviosismo. Algunas personas usarán la risa para convencer a otros de que son más felices o están más contentos, ya sea que ese sea el caso o no.

El estilo de comunicación verbal puede indicar mucho sobre cómo se siente una persona. La interpretación de las señales verbales o los cambios en los patrones de habla o en el estado de ánimo pueden indicar cuándo es apropiado responder, cómo responder y cuándo simplemente abandonar la conversación es la mejor opción. Por ejemplo, si una persona suena nerviosa o ansiosa, puede ser apropiado proporcionarle palabras de consuelo y estímulo. Si alguien suspira o muestra signos de frustración, preguntarle si necesita ayuda o simplemente darle espacio para la reflexión puede ser una forma útil de comunicarse.

Expresiones faciales

Las expresiones faciales y los gestos son un medio esencial para comprender lo que la gente quiere decir y cómo, incluso cuando no pueden verbalizar sus pensamientos e ideas más íntimos. La mayoría de los gestos o movimientos faciales son fáciles de entender y requieren poca o ninguna explicación. Si un buen amigo o un miembro de la familia sonríe al encontrarse contigo, está mostrando alegría y satisfacción. Durante un evento trágico o el duelo por una pérdida, la gente puede mostrar una expresión sombría de tristeza. Otras emociones y experiencias pueden desencadenar muchas expresiones faciales diferentes, y algunas son más obvias que otras. En los casos en que una persona se enfrenta a la toma de una decisión o se le pregunta si acepta o está de acuerdo con una determinada norma o decisión, puede decir "sí, claro", pero fruncir el ceño al mismo tiempo. Estas dos líneas de comunicación concurrentes, aunque contradictorias, pueden significar que la persona quiere que tú creas que estás de acuerdo, pero tu expresión facial indica que no estás de acuerdo.

A veces, las expresiones faciales son obvias y otras pueden ser contrarias u opuestas a lo que una persona puede decir. Los ejemplos de comunicación a través de gestos o expresiones faciales suelen transmitir emociones verdaderas, como miedo, ira, tristeza, confusión, excitación, conmoción y felicidad. Si la expresión facial de una persona coincide con la forma en que la percibimos o la forma en que habla, tendemos a confiar en ella porque está mostrando sentimientos consistentes o "verdaderos".

En varios estudios realizados sobre el impacto de las expresiones faciales y su repercusión en otras personas, se observó que un mayor número de personas reconocía que las expresiones más felices y alegres eran más seguras e inteligentes, mientras que las expresiones enfadadas y frustradas no se valoraban tanto. Algunas personas pueden utilizar una sonrisa o un rostro amigable para enmascarar los verdaderos sentimientos de tristeza o ira, de modo que no se perciban como realmente se sienten.

Lectura de los ojos

Los movimientos de los ojos, la mirada o el evitar el contacto son ejemplos de comunicación.

Las expresiones oculares se utilizan a menudo con otros gestos faciales para mostrar una variedad de emociones o reacciones.

También pueden indicar si una persona está prestando mucha atención si está interesada en lo que tú tienes que decir, o si prefieres evitar la conversación por completo. Al estudiar los distintos tipos de expresiones o movimientos oculares, podemos comprender mejor cómo se comunican con nosotros:

Si una persona mantiene un contacto visual constante con una mirada continua, es probable que se interese por ti y por lo que tienes que decir u ofrecer.

Si mantiene contacto visual con alguien, es probable que "lea" este gesto como una muestra de interés y atención. La gente responde bien a la atención y a menudo se esforzará mucho por mantenerla una vez que tenga su atención completa.

Evitar el contacto visual y/o apartar la mirada con frecuencia es un signo de desinterés o aburrimiento por un tema o una persona. Si tiene que recordar continuamente a alguien que se fije en ti o que hable más alto o con más entusiasmo para mantener la atención de otra persona, es probable que sea porque ha notado una falta de interés. Puede que aparten los ojos de ti y miren a otra parte. Si están cansados o sobrecargados de trabajo, puede simplemente significar que no poseen la energía para prestar atención en el momento, aunque pueden mostrar más interés en otro momento. Otra razón para evitar el contacto visual puede ocurrir cuando alguien se siente avergonzado, incómodo o intenta ocultar sus verdaderos sentimientos o pensamientos sobre un tema o situación. Aunque algunas personas están ansiosas por debatir o desafiar un tema, muchas personas prefieren evitar la discusión por completo. Es posible que no lo expresen verbalmente, aunque su falta de contacto visual es un signo seguro de evasión.

Parpadear puede ser un signo de excitación o nerviosismo. Algunas personas pueden parpadear a menudo o en ocasiones. Puede que ni siquiera sean conscientes de ello, ya que es una función normal que se produce tanto si nos damos cuenta como si no. En situaciones en las que una persona puede estar muy cansada o aburrida, puede parpadear a propósito para mantener la concentración. El parpadeo también puede ser un hábito o una circunstancia y no estar relacionado con la expresión o la comunicación en absoluto a veces.

Rodar los ojos o hacer movimientos deliberados en respuesta directa a una broma o comentario son otros ejemplos de expresiones oculares. Suelen ser de naturaleza específica, como responder a una broma tonta con los ojos en blanco o cerrar los ojos momentáneamente para mostrar disgusto o desacuerdo con una declaración u opinión.

Además de las expresiones oculares, los movimientos faciales y las señales verbales, hay muchos otros signos verbales y no verbales que pueden darnos una indicación de los verdaderos sentimientos o intenciones de alguien. A continuación se describen con más detalle ejemplos de gestos con las manos, posturas y otros movimientos no verbales:

Gestos de la mano

La forma en que gesticulamos con nuestras manos, brazos y dedos puede mostrar entusiasmo o excitación sobre un tema específico en general. Hay movimientos específicos y símbolos o signos que hacemos que pueden ser más indicativos de algo que queremos, pedimos, o para mostrar aprobación. Un simple gesto de los dedos o el balanceo de la mano puede significar la diferencia entre el despido y la aprobación. Otros movimientos son habituales y tal vez también una característica específica de los manierismos de una persona:

Los dedos se utilizan a menudo para comunicarse de manera rápida y sencilla, especialmente cuando verbalizar no es una opción (debido a la distancia o a la multitud ocupada), y se necesita una señal clara. Por ejemplo, dar un "pulgar hacia arriba" es una señal de aprobación o acuerdo. También puede confirmar que todo está en orden y "bien". "Pulgares abajo" puede indicar fracaso o decepción. Señalar con el dedo puede ser una acción acusadora y se usa para apuntar o señalar a alguien para culparlo de la acción. Este gesto también puede utilizarse, en algunos casos, para hacer hincapié o como una forma de describir una situación o escenario mientras se mantiene la atención. En la mayoría de los casos, señalar con el dedo se considera grosero e incluso obsceno. Puede hacer que alguien se sienta atacado o humillado y debe evitarse.

La "V" hacia arriba se usaba como signo de paz en el decenio de 1960 o como símbolo de victoria. Formar un círculo con el índice y el pulgar, con los dedos restantes extendidos indica que todo está "bien". También es una señal de que un plan o evento está en buen orden. También puede simbolizar la perfección. Enrollar el dedo índice hacia alguien puede convocarlos. Uno de los símbolos más positivos de los dedos en todo el mundo es el cruce de los dedos índice y medio. Esto indica buena fortuna y suerte. En algunos países o regiones, estos y otros signos de la mano pueden ser interpretados como algo negativo, como un insulto o un comentario lascivo.

Siempre es una buena idea investigar los gestos de las manos y otras costumbres antes de viajar, para asegurarse de que se utiliza una comunicación apropiada y respetuosa.

Una mano plana a menudo significará "parar" o quedarse atrás, para limitar el contacto con alguien o hacer una señal para que deje de actuar o comportarse de cierta manera. Esta señal puede significar igualmente "quedarse" o mantener un pensamiento o posición específica.

También puede traducirse en "hablar con la mano", lo que básicamente indica una falta de interés en comunicarse con alguien, por lo tanto, usar la mano como una barrera. En algunas culturas, este signo de la mano puede indicar tranquilidad, o como una forma de convocar o pedir ayuda a alguien.

La postura del cuerpo

Nuestra postura y la forma en que posamos puede delatar nuestros pensamientos e inseguridades más íntimos. Cuando una persona está a menudo encorvada hacia adelante y mirando hacia abajo, es un síntoma de vergüenza o de falta de confianza en sí misma. Puede ser una pose o posición que no pretendemos representar, ya que puede revelar ciertos sentimientos de inseguridad o debilidades que preferiríamos ocultar.

Cuando una persona se sienta o se para con los brazos abiertos y con una postura recta y erguida, muestra compromiso y confianza cuando habla o escucha. Se interesan por lo que la otra persona o personas tienen que decir y quieren contribuir. Algunas personas pueden ir más allá e inclinarse hacia adelante para reconocer cuando alguien hace un comentario.

Los signos de evasión, tensión o sensación de estar a la defensiva suelen transmitirse a través del lenguaje corporal y de una variedad de poses y posiciones, como sentarse con los brazos cruzados sobre el pecho con una expresión facial severa o sin ella.

En esta posición, la parte superior del cuerpo puede estar alejada de la persona que se comunica para indicar su desaprobación o un mensaje claro de que no tiene interés en corresponder. En posición de pie, una persona que muestra evasión puede simplemente alejarse, por lo general con los brazos cruzados y todas las formas de contacto, con los ojos o la cara se reducen al mínimo posible. Otros signos de evasión o de limitación del contacto pueden ser el estar inquieto, mirar hacia otro lado o mirar en otra dirección para mostrar un claro mensaje de desinterés.

La muestra de confianza y la voluntad de comunicarse se suele mostrar con gestos abiertos que simbolizan y una invitación a hablar o compartir el debate. En esta situación, la postura es de confianza y las manos suelen utilizarse mínimamente, a menos que los gestos complementen la descripción de una situación o artículo.

Cuando las personas muestran una postura segura y erguida con contacto visual directo y una disposición firme pero amistosa, es más probable que capten su atención y lo mantengan a la escucha. Algunas personas tienen un compromiso social natural, mientras que otras practican estas técnicas para mejorar su rendimiento en los negocios, las redes de contactos y las ventas.

Movimientos de la cabeza

Asentir con la cabeza, sacudirse de un lado a otro o inclinarse hacia un lado son todos ejemplos de movimientos de la cabeza que transmiten un cierto sentimiento o emoción. Inclinar la cabeza hacia un lado es una forma de decir, "Estoy interesado y quiero saber más". Cuando alguien muestra esta acción, normalmente significa que quiere escucharte y está interesado en lo que tienes que decir. En algunos casos, puede ser una señal de que siente atracción hacia ti, y por esta razón, quieren saber más sobre ti. En algunas situaciones, cuando una persona está observando un evento o una obra de arte, puede inclinar la cabeza cuando está tratando de entender o interpretar su significado o mensaje. Esto puede ocurrir cuando la imagen o el objeto es complejo o enigmático, e inclinar la cabeza para ajustar la mirada o la perspectiva puede proporcionar más opciones para la visualización y la comprensión.

Inclinar la cabeza hacia arriba para extender la barbilla es una muestra de dominio o de sentirse por encima de otras personas. También puede indicar un fuerte sentido de confianza en el liderazgo. A menudo es usado por ejecutivos y políticos cuando hablan con una multitud o grupo. Este gesto también puede leerse como una forma de arrogancia o superioridad, que puede ocultar eficazmente cualquier inseguridad y transmitir una sensación de intrepidez. Por el contrario, al inclinar la cabeza y la barbilla hacia abajo, esto puede significar rechazo, timidez o sensación de vergüenza. También indica una falta de confianza y puede hacer que los demás le vean como más sensible a las críticas. Mirar hacia adelante con la barbilla hacia adentro indica un gesto defensivo o una señal de que alguien se siente amenazado por un nuevo evento, situación o cambio. Este gesto puede ocurrir espontáneamente cuando otra persona "roba" el foco de atención de otra persona.

Asentir con la cabeza es una forma común no verbal de decir "sí" o "estoy de acuerdo" con alguien. Si se hace rápidamente y con ansiedad, una rápida inclinación de cabeza puede indicar un fuerte deseo de estar de acuerdo y coincidir con los comentarios e ideas de otra persona. Sacudir la cabeza de lado a lado suele ser lo contrario de asentir con la cabeza, lo que indica un "no" o no aprobación.

Sacudir juguetonamente la cabeza de un lado a otro durante una conversación casual puede indicar signos de atracción hacia alguien del grupo. También muestra una cierta comodidad y voluntad de someterse y comprometerse a un nivel más personal.

Escritura a mano

La forma en que la gente escribe dice mucho sobre su personalidad y cómo se expresan. A menudo, la gente tiende a utilizar los mensajes de texto y la comunicación en línea como su principal fuente de expresión escrita, aunque la escritura sigue siendo importante para tomar notas, firmar documentos y añadir un toque o expresión personal a una tarjeta o carta. El uso más común de la escritura a mano, especialmente en los negocios, es la firma. La formación de las cartas, su espaciado y su tamaño son factores que se tienen en cuenta al analizar a una persona a través de su escritura:

Las cartas separadas y escritas en un tamaño mediano o grande pueden indicar una sensación de libertad y sinceridad. Esto también puede indicar una tendencia a ser más generoso y a compartir, y un sentido de independencia y una actitud de espíritu libre.

Las cartas o palabras escritas muy juntas pueden indicar que una persona no es consciente del espacio o los límites personales y puede ser intrusiva o pasarse de la raya a veces.

Escribir ligeramente con un bolígrafo o lápiz indica cierto grado de sensibilidad y cuidado, mientras que una mano más pesada puede significar una actitud más tensa y enojada. Una presión de impresión uniforme y moderada es ideal, ya que puede indicar un nivel de consistencia y compromiso en el escritor

Algunas firmas son claras y fáciles de leer, mientras que otras pueden parecer garabatos o ilegibles. Las personas que firman con una letra o escritura deliberadamente clara son más fáciles de entender y desean ser comprendidas. Tienden a ser directas y un "libro abierto". Las personas que usan estilos de firmas desordenadas o menos legibles tienden a ser más privadas y ocultas.

La forma en que las "t" se cruzan, las "i" se puntean y se forman otras letras también proporcionan formas en las que leemos a otras personas por sus hábitos de escritura.

Algunos análisis de estilos aparentemente insignificantes en la escritura, como la cercanía de un punto de la "I" a la apertura o el bucle cerrado de una "I" minúscula, pueden parecer triviales, aunque todos ellos son signos de tipos de personalidad y prácticas específicas. Por ejemplo, cuando una "I" está estrechamente punteada, puede indicar una mente y un estilo de vida organizados. Los puntos sobre una "I" o una "j" que son más juguetones, como un círculo o un corazón, pueden interpretarse como creativos e inventivos. Si una persona cruza su "t" alta, puede tener una forma de vida orientada a objetivos, en la que apunta alto y se esfuerza por alcanzar la grandeza, mientras que cruzar una "t" baja o apenas puede ser una falta de ambición o impulso. Al escribir una "l" minúscula, un bucle grande puede mostrar un signo de mentalidad abierta y lista para aprender, mientras que un espacio más pequeño dentro del bucle es probablemente un signo de cercanía y terquedad.

Las letras redondas y circulares indican un potencial de creatividad y talento artístico. Si las letras son a la vez redondas, curvas y grandes, esto puede indicar una combinación de mostrar generosidad junto con un talento para las artes, con una voluntad de compartir su talento y habilidades con otros para una mayor apreciación. Las letras y palabras puntiagudas y agudas indican un signo de inteligencia y lógica.

La forma en que las letras están inclinadas en la escritura puede indicar.

Capítulo 5 - ¡¿Leyendo los pensamientos?!

Creo en la capacidad de leer los pensamientos de otras personas. Creo al cien por cien. No hay nada difícil en esto, para mí leer los pensamientos de otras personas es como escuchar lo que dicen. Y no veo ningún misterio en esto. Leer los pensamientos tan naturalmente como comer o respirar. De hecho, todos leemos la mente, sólo que lo hacemos inconscientemente. Alguien tiene éxito en lo bueno y en lo malo, alguien usa este talento, y alguien no. Pero estoy seguro de que todos podemos desarrollar esta habilidad natural. Sabemos que leemos nuestros pensamientos, sabemos cómo hacerlo, lo que significa que podemos hacerlo mejor. De eso se trata este libro. ¿Pero qué quiero decir con "leer mentes"? ¿Qué quiero decir cuando digo "lo hacemos todos los días de forma inconsciente"? ¿Qué es realmente?

Para empezar, anotaré lo que no se aplica al proceso de leer los pensamientos en mi entendimiento. En psicología, lo llaman "lectura de mentes" (en inglés

76

simple, Mind Reading). El fenómeno es el resultado de que tantas parejas casadas se encuentran en la recepción de un psicoterapeuta, esto sucede cuando los compañeros creen que uno debe conocer los pensamientos del otro.

"Si él realmente me ama, debería entender que yo no quería ir a esa fiesta. ¿Y qué si digo que sí? Debería haber sabido que yo no quería."

O:

"No se preocupa por mí ya que no entiende cómo me siento".

Exigir a otra persona que conozca tus pensamientos es el colmo del egocentrismo. No menos peligrosa es una situación en la que una persona cree que conoce los pensamientos de otra, y en realidad, sólo proyecta sus propios pensamientos en su comportamiento.

"¡No, ella me odiará!"

O...:

"Ella sonríe como si estuviera haciendo algo estúpido. ¡Como pensaba!"

Esta proyección se llama a menudo el "error de Otelo", y lo consideraremos más adelante en este libro.

Error de Descartes

Para entender el proceso de "lectura de los pensamientos" y sus principios, primero hay que definir un concepto importante. El filósofo, matemático y científico René Descartes, este gigante del pensamiento del siglo XVII, fue el autor de las transformaciones revolucionarias en el campo de las matemáticas y el pensamiento filosófico de Europa Occidental, las transformaciones que aún hoy utilizamos. Descartes murió en 1650 como resultado de una neumonía en Estocolmo, donde llegó por invitación de la Reina Cristina. Descartes tenía una costumbre propia de todos los filósofos franceses: trabajar en su cálida y suave cama. El frío suelo de piedra de un castillo sueco resultó ser una prueba fatal para su salud. Entre un número de pensamientos inteligentes, Descartes se encuentra con muchos errores. Poco antes de su muerte, declaró que el cuerpo y la mente son cosas diferentes, no relacionadas. Parecería que nada podría ser más estúpido que esta declaración.

Por supuesto, incluso en ese momento, hubo personas que entendieron que Descartes cometió un error, pero sus tímidas voces se ahogaron en una violenta exaltación sobre el "genio" del científico. Sólo en nuestra época, los biólogos y psicólogos han sido capaces de demostrar lo contrario: que nuestro cuerpo y nuestro cerebro son inseparables el uno del otro. Sin embargo, a pesar de los hechos con base científica, seguimos creyendo en las tonterías que dijo Descartes. La mayoría de nosotros, a menudo inconscientemente, dibuja un límite invisible entre el cuerpo y la mente. Para entender el contenido de este libro, tendrá que aceptar el hecho de que la mente y el cuerpo de una persona son uno, no importa lo difícil que sea de creer.

Este es un hecho científicamente probado.

Cualquier pensamiento tuyo encuentra una expresión física en tu cuerpo. Un pensamiento crea un impulso eléctrico en las células cerebrales que se envían señales entre sí. Cada señal tiene sus propias diferencias. Por ejemplo, si este pensamiento ya ha pasado por tu mente, la señal será familiar y sólo se repetirá. Un nuevo pensamiento implica una nueva constelación de células cerebrales, que a su vez puede desencadenar la liberación de hormonas en el cuerpo o afectar al sistema nervioso autónomo del cuerpo, que controla los procesos respiratorios, el tamaño de las pupilas, la circulación sanguínea, la sudoración, etc.

Todos los pensamientos afectan de alguna manera al cuerpo. A veces esta influencia es pronunciada, a veces apenas perceptible. Por ejemplo, cuando se tiene miedo, se experimenta sequedad en la boca y la sangre corre a los músculos de las piernas para que se pueda huir lo antes posible. Si cuando ves a un cajero en el supermercado, las fantasías eróticas surgen en tu cabeza, sentirás inmediatamente una excitación en tu cuerpo. Incluso si la respuesta física es difícil de notar, siempre está presente.

Por eso, a juzgar por la apariencia, podemos determinar cómo se siente una persona, lo que piensa y lo que teme. Desarrollando su capacidad de observación, podrá ver algo a lo que antes no prestaba atención.

Capítulo 6 - Conviértete en un detector de mentiras - Cómo reconocer señales contradictorias

En este capítulo, les hablaré del uso de la comunicación no verbal en la práctica. Hay señales que enviamos sólo en una determinada situación. Si tú supieras lo que hace su mente subconsciente, valdría la pena encontrar un espécimen genéticamente apropiado (léase: guapo o bonito). Pero antes de eso, nos ocuparemos de otro problema interesante: lo que le sucede a nuestro subconsciente cuando intentamos mentir.

Una persona que afirma ser capaz de leer la mente y analizar a los demás debería darse cuenta cuando le mienten. Ya ha aprendido a reconocer los signos de falsedad y a adivinar por la cara, si una persona está mintiendo o diciendo la verdad. Pero lo más difícil que tienes que dominar.

La forma más fácil de mentir es con palabras. Hacemos esto a lo largo de nuestras vidas. Es más difícil mentir usando expresiones faciales, aunque mucha gente lo hace bien. Pero lo más difícil es mentir con todo tu ser (o cuerpo). No pensamos en ello, pero el cuerpo tiene su propio lenguaje y a menudo dice lo que quiere, y no lo que nosotros pretendemos. En la conversación, la gente presta atención principalmente a las palabras, menos a menudo a las expresiones faciales y casi nunca al cuerpo del interlocutor.

Cuando sospechamos que una persona miente, escuchamos cuidadosamente sus palabras, en lugar de prestar atención al tono de su voz o al lenguaje corporal. Pero esta es la única manera de comprobar si una persona está mintiendo o no. De hecho, vemos las señales de la excitación que está experimentando (y cuando miente también). Puede estar nervioso, no porque esté mintiendo, sino por otra razón. Hay señales que significan una mentira y sólo una mentira, y tenemos que aprender a distinguirlas.

Algunas personas están bien versadas en la mentira y sus diversas manifestaciones. Otros rodean el dedo con facilidad. Hay mentirosos congénitos para los que mentir es como respirar. No envían ninguna señal y generalmente se refieren a psicópatas. Hay personas que no saben mentir. Todos somos diferentes. Pero la

mayoría de nosotros enviamos señales que se pueden
aprender a distinguir.

¿Qué es una mentira?

La capacidad de reconocer las mentiras siempre ha sido
admirada por la gente. Sin esta habilidad, es difícil
trabajar en la policía o en los tribunales. El testimonio
del clásico "detector de mentiras" es a veces erróneo,
por lo que muchos científicos, incluyendo a Paul Ekman,
dedicaron tanto tiempo y esfuerzo a aprender a
reconocer una mentira, y en parte, lo lograron. Pero
primero, pensemos en lo que es una mentira.

La mayoría de la gente miente todo el tiempo, o más
bien, sus palabras no reflejan con exactitud la realidad.
Así es como nuestra sociedad y cultura están
organizadas, donde las mentiras son aceptadas. A la
pregunta "¿Cómo estás?" La persona responde "Bien",
no habla de sus problemas, porque la otra persona no
está interesada en el interlocutor y de hecho, sólo está
siendo educada.

Hay situaciones en las que la gente se ve obligada a
mentir y a ocultar sus pensamientos. En un concurso de
belleza, la ganadora puede sollozar de emoción,

mientras que las participantes perdedoras se ven obligadas a sonreír y fingir que se alegran por ella. Si una mentira no fuera aceptada en nuestra sociedad, las participantes del concurso de belleza sollozarían amargamente y algo más, habrían tirado de la finalista por el pelo. No muestren sus verdaderos sentimientos, esto es una especie de mentira.

Por supuesto, estas formas de mentira no nos interesan. Nos interesa cuando la gente miente no por cortesía o por motivos socioculturales, sino por iniciativa propia - conscientemente, sabiendo que las cosas que no corresponden a la realidad. Recuerde, la mentira no es sólo la mentira que decimos sino también la verdad sobre la que guardamos silencio. Si digo que gané un partido de tenis, que en realidad perdí, entonces miento. Si digo que me estoy divirtiendo, pero en realidad estoy triste, miento.

Cuando alguien miente, lo hace por miedo al castigo o con la esperanza de recompensa. Nuestras mentiras siempre tienen una razón. También hay una combinación de estos dos motivos: cuando queremos recibir una recompensa inmerecida, pero si se revela una mentira, nos espera una multa. Por ejemplo, todo el mundo sabrá que hemos mentido, esto también es un castigo hasta cierto punto.

Señales contradictorias

Una persona da señales falsas sólo cuando la razón se convierte en un factor muy significativo cuando una persona arriesga algo cuando está preocupada. Y es la excitación que se refleja en su rostro, la sensación que podemos leer como una señal de mentiras. Primero hay que encontrar todas las señales y luego interpretarlas correctamente. En el caso de una mentira, siempre hay dos mensajes: el verdadero y el engañoso, ambos igualmente importantes, debemos aprender a distinguirlos. El mensaje no sólo proviene de nuestras palabras sino también de todo el cuerpo, se utilizan todas las herramientas que se combinan bajo el nombre de "comunicación no verbal". Por lo tanto, estamos hablando de cuán hábilmente una persona esconde un mensaje veraz y da una mentira por la verdad. Se trata del autocontrol (es decir, el control de las emociones y reacciones). Como en el caso del significado de una expresión facial, una persona trata de disfrazar un sentimiento con otro. Para entender si está mintiendo o no, hay que seguir los canales de comunicación que son los más difíciles de controlar. Una persona que dice la verdad inconscientemente envía señales similares, pero si sentimos una discrepancia simbólica entre las palabras y las expresiones faciales de una persona o los movimientos de sus manos, entonces podemos hablar de mentiras. Esto es lo que quiero decir con "señales conflictivas". Decimos una cosa, pensamos la otra y hacemos la tercera. Y la forma más fácil, por supuesto, es controlar sus palabras.

El psicólogo americano Robert Trivers encontró una solución al problema para todos los mentirosos profesionales. Sólo tienes que convencerte de que una mentira es verdadera. Entonces todas nuestras señales, conscientes e inconscientes, llevarán el mismo mensaje.

Pero tales manipulaciones de la conciencia conllevan riesgos para la salud. Las señales inconsistentes son a menudo referidas como fugas inconscientes o simplemente fugas. Puede que pienses que es genial ocultar tus sentimientos, pero la gente sólo es capaz de enmascarar señales obvias y evidentes. De todos modos, hay una fuga inconsciente, que también es percibida inconscientemente por otra persona (esto significa que la gente se da cuenta de ello, sin ser realmente consciente de lo que está haciendo).

Cuando una persona miente, no puede controlar todas las señales que su cuerpo envía, y seguramente se delatará a sí mismo. Pero también hay mentirosos patológicos que no se traicionan a sí mismos, con los que hay que tener especial cuidado. Así que la ausencia de fugas no es todavía una garantía de que te digan la verdad. Además, a veces para una fuga, podemos tomar el comportamiento habitual de una persona que no es bien conocida. Por eso es importante tener en cuenta si las señales son el resultado de un cambio en el comportamiento normal de una persona. Es necesario vigilar cuidadosamente sus reacciones y sólo entonces sacar las conclusiones adecuadas.

Si el interlocutor envía una serie de señales contradictorias, es muy probable que esté mintiendo. También puede significar que está tratando de ocultar sus verdaderos sentimientos. A menudo es fácil de comprobar. Siguiendo los métodos descritos, no olvide que las señales pueden ser enviadas por una persona cuyos pensamientos durante su conversación están simplemente ocupados con otra cosa. Ninguno de estos métodos da una garantía absoluta. Presta siempre atención al contexto y trata de no sacar conclusiones precipitadas. Y en general: ¿es importante para ti si esta persona miente o no?

El controvertido lenguaje corporal

Las señales más claras las da nuestro sistema nervioso. Es muy difícil para nosotros controlarlas. Es casi imposible obligarse a dejar de sudar o de sonrojarse cuando uno se preocupa. Incapaz de controlar las pupilas en la mesa de póquer. Pero nuestro sistema nervioso reacciona sólo en caso de emociones muy fuertes, -¿entonces qué hacer si una mentira no hace que una persona esté muy excitada?

Cara

El rostro de una persona siempre expresa dos estados: los sentimientos que está dispuesto a mostrar a los demás, y sus verdaderos pensamientos, que no quiere compartir con nadie. A veces estos dos estados coinciden, pero esto ocurre muy raramente. Si tratamos de manejar nuestras expresiones faciales, lo hacemos de tres maneras.

- Calificación - Añadimos a la expresión facial existente otra (por ejemplo, representamos una sonrisa para ocultar la tristeza).

- Simulación - Cambiamos la intensidad de las expresiones de la cara, haciéndolas más o menos brillantes. Esto se logra a través de la actividad de los músculos faciales y el período de tiempo en el que están involucrados.

- Falsificación (simulación) - Mostramos sentimientos que realmente no sentimos. Hay otras opciones, por ejemplo, intentamos no dar nuestros sentimientos (neutralización) o disfrazarlos como otros (disfraz).

Para que los demás nos crean, debemos tener un buen control de los músculos de la cara. Esto es especialmente posible para los niños que con placer "hacen muecas" delante de un espejo. Con la edad, esta capacidad se deteriora, por lo que a menudo no tenemos ni idea de cómo nos vemos en una situación determinada. A veces simplemente no tenemos tiempo para prepararnos, y hacemos todo como si esperáramos que esto "dé un paseo suave".

Lo más difícil es neutralizar los sentimientos, hacer como si no los sintiera, especialmente si estos sentimientos son fuertes y sinceros. A menudo una persona (contra la voluntad de una persona) se convierte en una máscara, y el interlocutor se da cuenta inmediatamente de que hay algo que no funciona, e intenta averiguar qué se le oculta. Por lo tanto, los mentirosos prefieren enmascarar un sentimiento con otro. Ya saben que para disfrazarnos, utilizamos principalmente la parte inferior de la cara. Esto significa que nuestros ojos, cejas y frente dan nuestro verdadero estado.

Otra, la forma más común de disfrazarse es con una sonrisa. Charles Darwin tenía toda una teoría al respecto. Dijo que la mayoría de las veces nos esforzamos por disfrazar las emociones negativas, y con una sonrisa, hay músculos completamente diferentes que son fáciles de controlar en ese momento.

Una sonrisa sincera es siempre simétrica: ambas esquinas de la boca se levantan simultáneamente. Una sonrisa falsa puede ser asimétrica (una esquina de la boca se levanta). Una sonrisa en una esquina de la boca también puede hablar de desprecio o disgusto por el interlocutor. Un hombre que sonríe de verdad no sólo sonríe con los labios sino también con los ojos.

Los actores, para parecer sinceros, intentan antes de sonreír, recordar algo agradable para que la alegría sea real. También hay que recordar que una sonrisa real, a diferencia de una falsa, no aparece de repente: una persona necesita tiempo para darse cuenta de la alegría. Pero para retratar una mentira, sólo un pulso.

Las microexpresiones juegan un gran papel cuando hay que adivinar el estado del interlocutor. A veces la otra persona sonríe y dice cosas bonitas, y sentimos que hay algo malo aquí. Lo más probable es que nuestro subconsciente haya notado microexpresiones faciales y las haya interpretado correctamente. La única lástima es que no todas las personas muestran microexpresiones o las muestran cuando están tratando de suprimir las emociones, y no de mentir.

Ojos

Dicen que un mentiroso puede ser reconocido por los ojos. Recuerda la expresión: "Veo en tus ojos que estás mintiendo". Hay una afirmación: si una persona mira a otro lado o parpadea a menudo, miente. Tal vez haya algo de verdad en esto. Pero la gente está tan segura de este fenómeno que ahora que está mintiendo, está tratando de mirar a su interlocutor a los ojos. Desde la infancia, hemos oído que un mentiroso tiene miedo de mirarse a los ojos, pero por desgracia, esto no nos ayudará ahora. Hay situaciones en las que miramos a un lado por razones naturales: por ejemplo, miramos hacia abajo, cuando estamos tristes, a un lado cuando nos avergonzamos, o miramos a través de una persona cuando es desagradable. Los mentirosos más experimentados son aquellos que pueden mirar hacia otro lado a tiempo.

La excitación también da el tamaño de las pupilas. Se expanden con la emoción o la maravilla. Escuchen a la persona y observen sus pupilas al mismo tiempo. Si te dice algo importante, sus pupilas no pueden permanecer iguales.

Cuando un mentiroso parpadea, sus ojos suelen permanecer cerrados más tiempo que en una persona honesta. El zoólogo británico Desmond Morris, que estudió el comportamiento de los animales y las personas, notó que esto sucede, por ejemplo, durante los interrogatorios de la policía. Se trata de un intento humano inconsciente de escapar de la realidad, como lo hace un avestruz, enterrando su cabeza en la arena.

También es importante vigilar los movimientos de los ojos. ¿Recuerdas lo que te dije sobre los recuerdos y el diseño de nuevos pensamientos? Cuando diseñamos, usamos nuestra imaginación, y la necesitamos cuando pensamos en el futuro, creamos algo nuevo, inventamos cuentos de hadas, etc. Dependiendo de si estamos recordando algo o creando un nuevo pensamiento, nuestros ojos se mueven de diferentes maneras. Una mentira también es una construcción porque estamos creando algo que no estaba allí. Si un visual habla de algo y afirma que ha visto todo con sus propios ojos, y al mismo tiempo su mirada se dirige hacia arriba a la derecha, significa que está inventando (construyendo) todo. Entonces pregúntate: ¿por qué debería inventar algo? Por ejemplo, una persona le dice: "Me quedé en el trabajo y tenía mucha hambre. Luego comí pizza con Jock e inmediatamente me fui a casa. "Si al decir "Comí pizza con Jock" una persona mira hacia la derecha, entonces lo está inventando. Algo está mal aquí. Es posible que miente descaradamente.

Una persona no puede controlar su vista, la cual, mientras construye, en contra de su voluntad, será dirigida hacia arriba a la derecha, por lo que un mentiroso no puede mirarle directamente a los ojos, pero si una persona te dice cuál era realmente el lugar para estar, es decir, lo recuerda, puede mirarte a los ojos. Esto significa que si una persona tuvo tiempo de inventar una mentira, hablarla para sí mismo, tal vez incluso memorizarla, entonces puede repetirla con calma (recordar), mirándote directamente a los ojos. En este caso, no importa si cuenta un hecho real o si todo esto es fruto de su fantasía. No olvide que no todas las personas encajan en este modelo. Vale la pena pensarlo diez veces antes de dejar pasar la noche con una persona desconocida, no importa lo que te diga.

Manos

Es más difícil controlar la cara que otras partes del cuerpo porque la actividad de los músculos faciales está asociada con la función cerebral. Pero a menudo somos traicionados por otras partes del cuerpo, como las manos. Nuestras manos pueden dar una variedad de señales. Como en el caso de las palabras, un cierto gesto tiene un cierto significado (emblema), entendido por todos los representantes de la misma cultura. Por ejemplo, el gesto de Winston Churchill en la forma de la letra latina V, formada por dos dedos, significa victoria, y todos los representantes de la civilización occidental lo saben. Los gestos de mentira son más fáciles que nunca. Sólo hay que responder a la pregunta "¿Ganó el partido?" Levantando dos dedos. Incluso si de hecho perdimos brutalmente.

A veces usamos gestos inconscientemente, y pueden decirnos lo que una persona realmente piensa y siente porque no los controla. Detectarlos no es fácil. Paul Ekman, por ejemplo, descubrió un gesto que los estudiantes hicieron durante una conversación con una persona desagradable. Inconscientemente, cerraron sus manos en un puño, a veces incluso exponiendo un dedo, como si mostraran al entrevistador un gesto indecente. Pero esto ocurrió bajo la mesa, y esta persona aún no podía verlo. No cabe duda de que con un gesto los alumnos expresan su disgusto por el interlocutor, aunque no se dan cuenta de que están experimentando precisamente este sentimiento.

Otro gesto muy conocido es encogerse de hombros cuando queremos mostrar nuestra ignorancia o que no nos importa. Se levantan los hombros y, en consecuencia, también las manos, las palmas suelen estar dirigidas a la otra persona.

También hay movimientos de manos con los que ilustramos nuestras afirmaciones (por ejemplo, trazamos los contornos en el aire, hablando de conceptos abstractos). Todas las personas utilizan sus manos al hablar, sólo la actividad de los gestos varía de una cultura a otra. Por ejemplo, a los europeos del sur, italianos y españoles, les gusta mucho acompañar sus palabras con gestos intensos. Rara vez prestamos atención a los gestos, pero de hecho, significan mucho para nosotros.

Es imposible comunicarse con una persona que dice una cosa y muestra algo completamente diferente a sus manos. En mis seminarios, estoy haciendo el siguiente experimento. Miro al hombre directamente a los ojos, pregunto cuánto tiempo es, y al mismo tiempo señalo con el dedo a la ventana. En respuesta, siempre obtengo: "Um ... ¿Qué?", aunque, parece que no puede haber una pregunta más simple. Es cierto que hay casos en los que se minimiza el uso de gestos, por ejemplo, en el momento de la fatiga, cuando no tenemos fuerzas o estamos aburridos o tristes, y si nos centramos mucho en las palabras del interlocutor.

La creación de nuevos pensamientos es un proceso mental complejo. Centrándonos en la invención de lo nuevo, nos olvidamos de los gestos. Nuestro cuerpo prácticamente no está involucrado, sólo funciona el aparato del habla. La ausencia de gestos es un signo seguro de que una persona está mintiendo.

Cuando pregunto cómo se puede identificar a un mentiroso, la gente suele responder que a menudo se rasca la nariz. Hay algo de verdad en esto. La gente que miente tiende a llevarse las manos a la cara, pero rascarse la nariz no es tan común. Se sorprenderá, pero muy a menudo los mentirosos se cubren la boca con las manos como si no dejaran que las palabras de la mentira salgan volando de sus lenguas o se avergüenzan de lo que están mintiendo. Si una persona se cubre la boca con la mano mientras le habla, se rasca la nariz, ajusta constantemente sus gafas, tira del lóbulo de la oreja, lo más probable es que mienta.

Todos estos gestos pueden ser vistos a veces por alguien que sólo se sienta y escucha a otro. De acuerdo, a menudo guardamos silencio sobre nuestros verdaderos pensamientos y no hablamos en persona al interlocutor que, en nuestra opinión, miente. Si ha notado tales signos en la persona con la que habla, trate de transmitir sus pensamientos con mayor claridad para convencerle de la verdad de lo que se dijo. ¿No quieres que te consideren un embustero?

Como todos los demás signos, rascarse la nariz no necesariamente le da a la persona un mentiroso descarado. Pero si su interlocutor se rascó la nariz varias veces durante una conversación, vale la pena buscar otros signos de mentir o silenciar la verdad.

Ejercicio divertido

Ya he dicho que no todas las personas son iguales, es decir, no todos los movimientos del ojo corresponden al modelo. Pero todos hacen algún movimiento cuando crean una construcción en sus mentes. El siguiente ejercicio le ayudará a aprender a determinar cuándo la otra persona hace algo.

Paso 1

Pida al interlocutor que presente algo, por ejemplo, Gioconda representada en el cuadro de Leonardo da Vinci. Dale tiempo para ver mentalmente el cuadro y observar cuidadosamente los movimientos de los ojos.

Paso 2

Pídale al entrevistado que presente la misma foto, pero con algunas variaciones. Por ejemplo, Mona Lisa, cubierta con un niño de cinco años. Dale tiempo de nuevo para ver mentalmente la foto y mirar sus ojos. Su objetivo es comprobar si sigue el sistema o utiliza algunos de sus propios movimientos en el diseño.

Paso 3

Ofrezca al interlocutor presentar algo más y asegúrese de que realiza los mismos movimientos todo el tiempo. (Sólo pida una nueva imagen, de lo contrario, el diseño no funcionará, sólo recordará el ejercicio anterior).

Tono

Probablemente ya lo has notado: cuando una persona está enfadada, su voz se vuelve más delgada, chillona. Además, comienza a hablar más y más fuerte que en el estado normal. Cuando estamos tristes, sucede lo contrario: la voz se vuelve apagada, gutural. La persona habla más despacio y en silencio que de costumbre.

Cuando alguien dice una mentira y al mismo tiempo se siente culpable, se producen los mismos cambios en su voz que durante la ira. Su voz se vuelve automáticamente más delgada y más fuerte, y habla más rápido de lo habitual. Si una persona se avergüenza de sí misma, su voz suena igual que si estuviera triste. Habla despacio y con calma. Si notas alguno de estos cambios en la voz del interlocutor sin razón aparente, esto puede significar que te está mintiendo.

Bill Clinton se rascó la nariz 26 veces durante el proceso Lewinsky.

Resultó que no sólo los psicólogos e investigadores del lenguaje corporal siguieron la nariz de Clinton durante este proceso, sino que el asesor personal del presidente en comunicación con los medios le prohibió incluso tocarse la nariz, porque al rascarse redujo el nivel de confianza en sí mismo a casi cero.

Discurso

Los que mienten son propensos a hacer pausas en un discurso en el que no deberían estar, por ejemplo en medio de una frase o antes de responder a una pregunta. De esta manera, la gente trata de ganar tiempo. Los mentirosos pueden incluso quejarse de algo inarticulado, como "Uh-uh", mientras su cerebro se esfuerza por inventar otra mentira. A veces una persona incluso tartamudea con excitación.

Es común que un mentiroso repita a menudo, que diga la misma cosa una y otra vez. A veces comienza a hablar con frases largas, tan largas que parece que no tienen fin. Y todo esto porque una persona tiene miedo de ser interrumpida. Todos estos cambios son una señal de que no todo está en orden en la comunicación con esta persona y debe mirarlo cuidadosamente.

Cambios en el uso de las palabras

Los mentirosos a menudo también se expresan con muchas palabras. Empiezan a hablar como nunca antes lo habían hecho, y con tales trivialidades que la mentira se hace obvia inmediatamente. A veces, incluso el propio mentiroso se da cuenta de que es una tontería, pero simplemente no puede parar. Las palabras parecen salir del lenguaje.

Comentarios de Misty

A los mentirosos les encanta andar con rodeos, hacer indirectas vagas, menear la lengua, sin denotar la esencia de lo que quieren decir. Un mentiroso puede responder a la siguiente pregunta:

"Bueno... básicamente... puedes decir que... bueno, podría ser... tal vez que... probablemente..."

Repite y repite

A los mentirosos no les gusta entrar en detalles. Prefieren repetir la misma mentira una y otra vez que explicar algo.

Para una persona que dice la verdad, no será difícil complementar la información con nuevos detalles o transferirla de forma más comprimida. La memoria no es algo que saquemos de la caja de memoria, volemos las partículas de polvo y las devolvamos. La memoria cambia dependiendo del contexto en el que se aborda.

Una persona que dice la verdad puede poner acentos de diferentes maneras, contando la misma historia varias veces. Un mentiroso siempre cuenta lo mismo por miedo a quedar atrapado en las incompatibilidades. Sin embargo, no entrará en detalles. Si sospecha que una persona está mintiendo, pídale que aclare algo. Por ejemplo:

- Estuve solo toda la noche. Miré la televisión. Luego se fue a la cama.

- ¿Qué miró?

"Yo... bueno... esto es...

Pretensión

El mentiroso es propenso a usar una retórica exuberante, para la cual nada se sostiene. Su discurso es extremadamente abstracto e incluso lógicamente inconsistente. La gente trata de crear la ilusión de claridad, cuando en realidad nada es claro. Por ejemplo, el ex alcalde de Nueva York, acusado de evasión de impuestos, dijo: "No cometí ningún delito. Simplemente no seguí la ley", o Clinton sobre la pregunta acerca de la relación con la Srta. Lewinsky: "Depende de cómo se mire". "

Otro ejemplo clásico: "Esta pregunta puede ser respondida tanto con un sí como con un no, dependiendo de cómo se formule".

No olvide que las acciones reprimidas (gestos reprimidos) - es natural para una persona. Hay situaciones que desencadenan un estallido de energía del que no podemos encontrar una salida. En tales situaciones, simplemente nos vemos obligados a chasquear los dedos, mordernos las uñas o tirar de una vela. Hay periodos en la vida en los que nuestro nivel de energía está por encima de la norma. Mira, ¿qué le pasa a un adolescente al que le dijeron que se sentara en silencio?

Capítulo 7 - Claves no verbales

Lo curioso de la comunicación es que la mayoría de los mensajes no son verbales. Las siguientes son algunas de las señales no verbales más comunes.

[NON-VERBAL CUE = CLAVES NO VERBALES]

Fruncir el ceño

Cuando ves a alguien con el ceño fruncido en la cara, sólo puede significar una cosa: está enfadado por algo. Algunas personas hacen un esfuerzo consciente para fruncir el ceño, pero para otros, es más una respuesta automática a eventos desagradables. Alguien con el

105

hábito constante de fruncir el ceño aparecerá distante y distante. Por esta razón, pueden tener dificultades para establecer relaciones cercanas con otras personas. Pero hay una clase de seres humanos que no han aprendido a controlar la expresión facial. Puede parecer que frunzan el ceño cuando no les pasa nada. Estas personas tienen un rostro que parece duro.

Apoyando la barbilla con el puño cerrado

En un escenario en el que la gente está rodando una conversación hacia adelante, y uno de ellos pone su barbilla en su puño cerrado, significa que no están de acuerdo con lo que se está diciendo. La pose traiciona su proceso de pensamiento, pero puede que no siempre hablen. Corresponde a la otra parte darse cuenta de la pose y sacarla a relucir. Entonces, poner la barbilla en el puño puede parecer grosero para otras personas.

Cubrirse la cara con las manos

Cuando alguien se cubre la cara con las manos, puede significar una de dos cosas: está agotado o preocupado. La vida moderna está llena de condiciones de vida estresantes. A cada paso, hay cosas que podrían causarnos un dolor emocional significativo, y por lo tanto, es fácil abrumarse con la preocupación o cansarse. Puedes notar que alguien lo hace cuando se encuentra con otra tarea que requiere sus recursos, o puede que lo haga como un signo de cansancio creciente.

Cubrirse la boca con la palma de la mano

Si eres un chico de 20 años en la universidad, y te metiste con una chica, y ella se quedó embarazada. Piensa en cómo actuaría tu madre cuando revelaras que esperabas un hijo. Tal vez se taparía inmediatamente la boca con la palma de la mano, sin saber qué decir. Este acto muestra que estás extremadamente sorprendido. Es lo que la gente hace normalmente antes de encontrar las palabras adecuadas para expresar su conmoción.

Mantener los labios

Digamos que entras a tu esposa hablando por teléfono e inmediatamente ella cuelga. Por lo tanto, tratas de entender por qué cuelga. Le preguntas con quién ha estado hablando. Pero en lugar de revelar, ella mantiene sus labios dentro. Esa es una clara señal de que no quiere continuar esta conversación. No está de acuerdo con decirte con quién ha estado hablando. La gente mantiene sus labios dentro cuando se sienten incómodos hablando de cierto tema.

Cabeza inclinada

Asumiendo que estaba en una reunión social, y mientras miraba alrededor, vio a una mujer en una esquina, y de repente inclinó la cabeza. Eso es el equivalente a que ella dijera, "¡venga aquí!" Una cabeza inclinada es siempre indicativo de interés. Y normalmente significa que la persona tiene un alto nivel de interés. Si encima de una cabeza inclinada, tienen las manos cruzadas contra la pelvis es una indicación de nerviosismo. Están demasiado asustados de que no correspondan a su impulso de hablar contigo.

Rascarse la clavícula

Este es el clásico indicador de estar abrumado. La persona promedio tiene demasiadas responsabilidades para hacer malabares, y sin embargo los recursos son limitados. Piensa en la mujer promedio de clase media-baja. Presumiblemente, debe atender a su cónyuge, sus hijos, su trabajo, y mostrar dedicación en cada instancia. Mientras está en la oficina, puede que la veas rascarse la clavícula mientras procesa todas las cargas que debe soportar para que su vida navegue sin problemas.

Ojos anchos

Nuestros ojos son muy comunicativos. Es todo lo que uno necesita ver antes de llegar a una conclusión. Los ojos abiertos significan emoción. Piensa en un tipo que acaba de proponerle matrimonio a su prometida, y ella dijo que sí. Su mirada ansiosa es inmediatamente reemplazada por su expresión de ojos abiertos. Pero si los ojos abiertos van acompañados de una sonrisa, es un indicio de nerviosismo. Los ojos son probablemente la parte más expresiva de un ser humano. Se puede saber si uno está triste, feliz o enojado, con sólo mirar sus ojos.

Una mirada hacia abajo

Si estás tratando de hablar con alguien, pero sigue mirando hacia abajo, sólo puede significar una cosa: están desinteresados. Preferirían estar en otra parte. Pero una mirada hacia abajo puede significar que la persona está abrumada por tu presencia y que tú la intimidas. Si su postura corporal es generalmente alejada, se denota un desinterés mucho más fuerte.

Inclinándose

Cuando alguien se inclina hacia ti, significa que está interesado en tenerte cerca. Esto es aún más cierto cuando se abren o ponen sus manos sobre ti. Si sus brazos están envueltos alrededor de su sección media, puede que estén disfrutando del momento, sí, pero están tratando de retener algo. También es importante comprobar la dirección a la que apuntan sus pies. Generalmente, nuestros pies miran hacia la dirección que queremos tomar. Si sus pies apuntan hacia ti, significa que están interesados en escuchar y conectar contigo.

Dedos entrelazados

Imagina a una mujer cuyo marido está siendo operado de la próstata. Está de pie en los pasillos del hospital con los dedos entrelazados. Esto es una indicación de que está preocupada. El entrelazamiento de las manos sobre la región del pecho implica que la preocupación es incluso pronunciada. Normalmente va acompañado del acto de moverse con tensión.

Apoyando su barbilla con la mano abierta

Imagina a una mujer que ha sospechado que su marido la engaña. Entonces, ella toma su teléfono y revisa sus mensajes, sólo para encontrar una cadena de textos entre él y un amante. El marido, por supuesto, se le ocurrirá una historia. Pero mientras su esposa escucha esa historia desarticulada, puede estar apoyando su barbilla en su mano abierta. Esa pose es indicativa de una pérdida de interés. Cuando alguien apoya su barbilla en su mano, normalmente significa que está cansado de lo que pasa a su alrededor.

La cabeza que sobresale hacia adelante

Esta posición es indicativa de agresión. Piensa en tus días de escuela. Piensa en cómo actuaban los chicos (normalmente el matón contra la víctima) cuando estaban a punto de intercambiar golpes. El que esté más enojado tendrá la cabeza hacia adelante. El espíritu agresivo de esta posición se agrava cuando la persona cierra sus manos en puños.

Los brazos en akimbo con la cabeza echada hacia atrás

Esta es una expresión mandona destinada a medir a la otra persona. Cuando alguien piensa demasiado bien de sí mismo, puede poner sus brazos en akimbo, y mirar a cada persona de arriba a abajo, como para medirla. Esta posición se presenta como demasiado condescendiente hacia los demás.

Apuntando con el dedo

La gente que tiene tendencia a señalar con el dedo al hacer su punto, normalmente se muestra demasiado apasionada. Cuando alguien hace una declaración y la acompaña con el dedo, su declaración tiene más importancia que si la misma declaración se hiciera de manera sencilla. Además, señalar con el dedo es indicativo de una actitud agresiva.

Rizar el cuerpo hacia el vientre

Piensa en un niño que ve a su matón yendo tras él. El niño podría instintivamente enroscarse hacia su vientre. Sabe que está a punto de enfrentarse a la música y que no es rival para el poder de su matón. Por lo tanto, acurrucarse hacia su vientre es un acto de sumisión y autopreservación. La gente también actúa de esta manera cuando se les da una noticia desgarradora. Por lo general, el dolor es tan grande, que se encuentran acurrucados hacia su vientre.

El cruce de brazos

Esto es una clara indicación de que un individuo está actualmente incómodo. También es indicativo de tensión. Normalmente, cuando una persona está en una situación que despierta sus emociones negativas, puede cruzar los brazos para sentirse más cómoda. Esta posición hace que sus emociones negativas sean tolerables, y actúa como un freno para no hacer algo lamentable.

El cruce de brazos también puede indicar que se está enojado por algo. Piensen en una madre que limpia a su bebé, y luego el bebé sale corriendo y se cubre de tierra en un tiempo récord de cinco minutos. Cuando el bebé vuelve a la casa, su madre podría cruzar los brazos, preguntándose qué castigo en la tierra es proporcional a tal comportamiento travieso.

Poner una mano en el pecho

Esta posición expresa sinceridad. Cuando alguien pone una mano en su pecho mientras hace una declaración, es probable que le crea, a diferencia de cuando la entrega había sido de otra manera. Cuando vemos a alguien poner la mano sobre su pecho, pensamos que lo que está diciendo viene de su corazón.

Empujando la cadera hacia fuera

La gente toma esta posición cuando se defiende de las críticas. Normalmente, también se ponen una mano en la cadera. Las personas que adoptan esta posición tienden a tener fuertes sentimientos de estar en lo cierto, y odian cuando se les mantiene en una posición negativa. Por lo tanto, siempre deben luchar para refutar cualquier crítica que se les haga.

Un giro hacia atrás de la mano

Cuando alguien voltea la mano hacia atrás, quiere decir que se desescalan los momentos de tensión. Tal vez han dicho algo que despertó fuertes sentimientos y la crítica comenzó a llegar y por lo tanto se ven obligados a dar la vuelta a su mano hacia atrás para defenderse de un ataque. Esto suele suceder cuando la persona cree que no ha sido comprendida.

Poner una mano sobre alguien más

Esto se hace cuando alguien está extremadamente cómodo con otra persona. Es una muestra de afecto. No es necesariamente una muestra de atracción romántica, pero las fiestas normalmente tienen un vínculo. Cuando el interés mutuo es demasiado, verás a las partes manteniendo sus cabezas juntas.

Apretando la mandíbula

¿Alguna vez te has sentado al lado de una persona, y de repente, has notado que su mandíbula se mueve? Probablemente pensaste para ti mismo, "¡eso es genial!" Excepto que no te diste cuenta de que esa persona probablemente esté estresada. La gente tiende a apretar sus mandíbulas cuando están en situaciones estresantes. El estrés puede provenir de un ambiente interno o externo. Tal vez son sus pensamientos, o tal vez es algo que pasa a su alrededor.

Asentir con la cabeza de forma exagerada

Todos entienden que asentir con la cabeza es una forma de apreciar lo que la otra parte está diciendo. Cuando hablamos con alguien, y asentimos con la cabeza a intervalos regulares, se envía un mensaje positivo, se le anima a seguir adelante. En cierto sentido, es una forma de validación. Pero entonces te encuentras con alguien que asiente con la cabeza cada tres segundos. No es sólo una distracción, sino un claro indicio de que son inseguros. Se ven obligados a asentir sin cesar porque se sienten inadecuados. Si notas que alguien asiente con la cabeza con demasiada frecuencia, y estás seguro de que son sus inseguridades las que le llevan a actuar así, podrías pedirle que se detenga y explique su comportamiento. No es una de las conversaciones más fáciles que harás, pero será muy impactante.

Las cejas levantadas son un signo de incomodidad

Los seres humanos están en constante búsqueda de comodidad. Todas sus metas y aspiraciones están de una manera u otra ligadas a su gran búsqueda de comodidad. Por lo tanto, cuando experimentan cualquier forma de incomodidad, es fácilmente aparente. La gente levanta las cejas cuando se encuentra en situaciones incómodas. Los sentimientos de incomodidad pueden ser desencadenados por uno de los siguientes factores: preocupación, miedo o sorpresa. Si alguien espera noticias que cambien su vida, puede estar preocupado por pensamientos negativos, ya que tal vez se pregunte qué le sucederá si no cumple con sus expectativas. Las personas suelen experimentar miedo cuando se encuentran con situaciones amenazantes. Y la gente se sorprende cuando ocurre algo contrario a sus expectativas. La persona promedio puede expresar su incomodidad de varias maneras, pero la más común es levantando las cejas.

La postura corporal correcta es un signo de confianza

Si alguien entra en una habitación llena de gente con los hombros caídos y una postura débil, nadie se molestará por la persona, ya que se muestra en su lenguaje corporal que no tiene ningún poder. Pero si alguien entra en la habitación con sus hombros caídos y su postura erguida, la gente se dará cuenta, reaccionará positivamente hacia él, ya que claramente tiene un alto concepto de sí mismo lo suficiente como para tener una postura erguida. Incluso los matones son conscientes de sus víctimas: siempre van a por los que están de pie como si sus espaldas estuvieran rotas, y dan a los que están de pie un amplio margen. Tener una mala postura puede ser el resultado de una baja autoestima, pero también puede ser el resultado de estar sentado durante largos períodos de tiempo. Si tú estás hablando con alguien y asume una posición inclinada, recuérdale que asuma una posición erguida, y explícale el beneficio.

Copiar a otras personas indica interés

¿Alguna vez has hablado con una persona y te has ido con la sensación de que estaban copiando todos tus actos? Por ejemplo, si cruzaste los pies, unos minutos después, ellos también cruzaron sus pies. Si hacías un gesto, poco después ellos también lo hacían, y tenían la tendencia a reformular tus palabras. Puede parecer extraño, pero en realidad es algo bueno. Significa que la otra persona está involucrada en ti. Por lo tanto, inconscientemente revelan esta atracción reflejando tanto tus palabras como tus acciones.

Las sonrisas genuinas tienen arrugas en la esquina de los ojos

La simple verdad es que hay mucha falsedad en el mundo de hoy. Podrías encontrarte con alguien a quien no le gustes ni un poquito y encontrarte con él o ella mostrándote una sonrisa, una falsa. Lo mejor para ti es determinar si una sonrisa es genuina o no. Una sonrisa

118

genuina no es sólo para la boca, sino también para los ojos. Los ojos parecen como si emitieran luz de estrellas. Pero lo más importante es que las sonrisas genuinas forman arrugas en la esquina de los ojos. Si prestas atención a una sonrisa, puedes saber si es falsa o no. Además, la capacidad de la tuya sin duda te ahorrará muchos dolores de cabeza.

Tocar la nariz

La honestidad - hay una escasez de personas que todavía obedecen esta virtud. Hay más mentirosos que gente honesta en la sociedad. No sólo las mentiras pueden llevarte a una situación dolorosa, sino que las grandes mentiras pueden arruinar tu vida. Por lo tanto, es importante notar a un mentiroso cuando se trata de uno. Los psicólogos dicen que un mentiroso tiene tendencia a tocarse la nariz. Todo ser humano tiene una brújula moral. Saben muy bien que decir mentiras es una traición a su moralidad. Algunas personas pueden tratar de resistirse a tocarse la nariz, pero eventualmente sucumben al toque inconsciente de su nariz. Esto no quiere decir que todos los que se tocan la nariz al hacer una declaración sean mentirosos, pero te da más oportunidades de verificar su autenticidad. Si se están tocando la nariz, y su historia está desarticulada, o hay demasiadas contradicciones; ¡bandera roja!

Hablar rápidamente indica tensión

Alguien con tendencia a hablar demasiado rápido suele luchar contra la ansiedad. Incluso puede estar luchando con la baja autoestima. Hablan rápido porque no se consideran dignos de ser escuchados también. Alternativamente, tal vez se imaginan que lo que tienen que decir es de poca importancia y que la gente no quiere escucharlos.

La proximidad indica interés

Si alguien está haciendo todo lo posible para acercarse a ti, sólo significa que está interesado. Alguien que estaba desinteresado tratará de retirarse. Cuando estés conversando con alguien, siempre comprueba si se está inclinando o retrocediendo. Te dice mucho sobre cómo piensan en ti.

Las manos que se embolsan indican ansiedad

Si hablas con alguien y pone las manos en el bolsillo, puede significar que le falta la confianza para ser ellos mismos. Normalmente piensan que algo anda mal con ellos. Su intento de ocultar algunas partes de su cuerpo es indicativo de su aversión a la crítica. Pero, de nuevo, alguien puede meter las manos en el bolsillo cuando están tratando de ocultar algo.

Los ojos que miran fijamente indican intimidación

¿Alguna vez te has enfrascado en una discusión con alguien que no te quitaba los ojos de encima? Debe haber pensado que era espeluznante, y con razón. Alguien que te mira sin parar podría estar tratando de intimidarte. Si le mantienes la mirada fija, acabas empeorando la situación.

El cuello apretado indica estrés

Alguien que está pasando por un momento difícil es probable que se le ponga el cuello rígido. Este movimiento también puede indicar molestia, pero en su mayor parte, esa persona está luchando con un momento estresante. Si se da cuenta de que alguien está tensando su cuello, puede preguntarle cuál es su contribución a su inestabilidad emocional y remediar la situación.

Capítulo 8 - Analizando a la gente en citas y amor

Jim es un mujeriego. Exuda un encanto masculino y una comunicación fluida por la que otros hombres matarían. Puede asistir a una reunión social y tener a la mujer de su elección.

Por otro lado, Jane es el sueño de todo hombre con una mujer perfecta. No es la más bonita o bien vestida. Pero emana un encanto femenino que atrae a los hombres.

Es fácil para ella conseguir cualquier cita de su elección mientras que a otros les resulta difícil conseguir el hombre que desean.

Como pueden ver en las ilustraciones anteriores, Jim y Jane viven la vida en términos de citas y cortejo. No tienen que trabajar duro para conseguir la pareja de su elección.

Puede que no sean atractivos como estrellas de cine, pero siempre parecen tener suerte con sus elecciones. Entonces, ¿qué diferencia hay entre ellos y los que fracasan en las citas?

Obtendrás la respuesta a esta pregunta y aprenderás a analizar a las personas enamoradas y con citas en esta sección. También aprenderás a utilizar correctamente estos métodos de atracción para atraer a quien quieras. También te mostraré cómo entender los cambios fisiológicos que tienen lugar cuando te encuentras con el sexo opuesto.

¿Qué sucede cuando te encuentras con el sexo opuesto?

Según el Dr. Albert Scheflen, un renombrado experto en lenguaje corporal y autor de Body Language and the Social Order, hay diferentes cambios fisiológicos que ocurren en el cuerpo cuando te encuentras con el sexo opuesto.

Por ejemplo, un hombre que camina hacia una mujer se pavoneará con el pecho en lugar de una posición encorvada, se parará más alto y aumentará su tono muscular en preparación para el encuentro.

Por otro lado, una mujer que esté interesada, empujará su pecho para aumentar el tamaño de sus pechos, tocará su pelo, caminará más animadamente, expondrá sus muñecas y parecerá sumisa.

Se pueden ver los diferentes cambios fisiológicos que tuvieron lugar mientras caminaban hacia el otro.

El lenguaje corporal es sin duda uno de los componentes fundamentales de las citas, y revela cuán listos, desesperados, inseguros, seguros, sexy, atractivos o disponibles estamos. Algunas de estas respuestas del lenguaje corporal en el noviazgo se aprenden mientras que otras están completamente fuera de nuestro control.

Los que tienen más éxito en las citas se han dado cuenta de cómo optimizar su lenguaje corporal para crear un aura de atracción.

Por qué Jim y Jane tienen éxito

La investigación sobre los comportamientos de cortejo de los animales por parte de los zoólogos revela que las hembras y los machos utilizan una serie de comportamientos de cortejo, algunos de los cuales son sutiles mientras que otros son obvios, con un gran porcentaje de comportamientos de cortejo realizados inconscientemente.

Por ejemplo, en muchas especies de pájaros, el macho hincha sus plumas y se pavonea alrededor de la hembra mientras hace un despliegue vocal para llamar su atención. Mientras que el macho realiza su comportamiento de cortejo, la hembra muestra poco o ningún interés. Este comportamiento de cortejo es similar al que realizan los humanos cuando comienzan las citas.

Jim y Jane pudieron realizar una serie de gestos que atrajeron al sexo opuesto. ¿Qué más? Fueron capaces de enfatizar sus diferencias sexuales para parecer atractivos al sexo opuesto.

El secreto de la técnica de Jim era detener primero a las mujeres cuyo lenguaje corporal grita que están disponibles y luego enviar sus propios gestos masculinos de citas. Las mujeres interesadas devuelven la señal femenina apropiada, dándole el visto bueno para continuar con la siguiente fase.

Jim sabía qué buscar, y las mujeres lo describirían como sexy, apasionado, masculino y gracioso. Más aún, lo describirían como alguien que las hace sentir femeninas. Por otro lado, los hombres describirían a Jim como arrogante, aburrido e insincero debido a su reacción ante su éxito con las mujeres.

Las mujeres como Jane tienen éxito en el juego de las citas porque son capaces de enviar las señales correctas a los hombres y de analizar a aquellos que, como Jim, son capaces de devolver las señales.

En las citas y el amor, las mujeres son más perspicaces en el análisis de las señales de citas, mientras que los hombres son generalmente ciegos a estas señales.

Es un mundo de mujeres

Las mujeres toman las decisiones en las citas. Aunque si le preguntas a un hombre que suele dar el primer paso durante el cortejo, diría que los hombres lo hacen.

Los estudios muestran que las mujeres son las imitadoras de las señales de las citas alrededor del 90 por ciento de las veces. Cualquier hombre que se cruza para charlar con una mujer lo ha hecho después de recibir señales positivas de la mujer. Sin embargo, si un hombre camina hacia una mujer sin recibir una luz verde, hay menos posibilidades de éxito a menos que el hombre en cuestión sea Brad Pitt.

Las etapas de la atracción

Como se mencionó anteriormente, las mujeres toman las decisiones en las citas o el cortejo. Por lo tanto, una gran parte de este capítulo se centrará en las mujeres y las señales de atracción que emiten. Por lo tanto, vamos a pasar por las cinco etapas de atracción que todos pasamos cuando conocemos a una persona atractiva.

Etapa 1: Hacer contacto visual

Una dama hará contacto visual con alguien que le guste, y lo sostendrá el tiempo suficiente para que el hombre lo note. Entonces ella mantiene su mirada por unos segundos antes de que se dé la vuelta. Ahora ella tiene la atención del hombre.

El hombre seguirá mirándola para ver si ella repite el contacto visual. Una mujer necesita repetir el contacto visual al menos tres veces antes de que el hombre medio se dé cuenta de la importancia del mensaje - la mayoría de los hombres no son perceptivos. Este contacto visual se repite varias veces, y es el comienzo de la atracción y el coqueteo.

Etapa 2: Sonriendo

Una vez que tiene la atención del hombre, entrega una o más medias sonrisas que tienen por objeto dar luz verde a la fecha prevista. Lamentablemente, muchos hombres no responden a las medias sonrisas, dejando que la mujer piense que no tiene interés en ella.

Etapa 3: Acicalamiento

Esta es la siguiente etapa después de las medias sonrisas, e implica el aumento de las diferencias sexuales. En este punto, la mujer se sienta derecha para sacar sus pechos y cruza los tobillos o las piernas para mostrar sus piernas. Si está de pie, inclina la cabeza hacia un hombro e inclina las caderas hacia un lado.

Juega con su cabello como si se estuviera preparando para el hombre. Puede alisar su ropa o joyas o incluso lamerse los labios para hacerlos más atractivos.

El hombre responderá poniéndose de pie, expandiendo el pecho y metiendo el estómago. Por último, apuntan sus pies hacia el otro para mostrar aceptación y voluntad de proceder a la siguiente etapa.

Etapa 4: Charla

El hombre, en este punto, toma el papel activo caminando hacia la mujer en un intento de hacer una pequeña charla. Intentará romper el hielo usando clichés, como "Me pareces familiar". ¿Te he visto en alguna parte?"

Etapa 5: Iniciar el toque

Después de la pequeña charla inicial y los clichés bien utilizados para romper el hielo, la mujer buscará una oportunidad para iniciar un ligero toque en los brazos, ya sea de forma involuntaria o no. Tome nota de estos toques ligeros. Un toque en la mano es más íntimo que un toque en el brazo. Los hombres también pueden iniciar el toque ligero.

Aunque se siente menos intrusivo cuando es iniciado por la mujer. El toque ligero se repite para ver si la persona está feliz con el primer toque y para hacerles saber que el primer toque no fue accidental. Ella también puede iniciar un apretón de manos para acelerar la conexión.

Para muchos, estas cinco etapas de atracción pueden parecer diminutas o incluso accidentales, pero son de gran importancia al principio de cada relación. Este capítulo explorará las probables señales enviadas tanto por hombres como por mujeres durante las cinco etapas de atracción.

Espejito, espejito, ¿quién es la más bella del país?

En el famoso cuento de hadas de Disney, vimos a la bruja/reina pidiendo al espejo que le mostrara quién es la más bella de la tierra. Bueno, la mayoría de nosotros estamos familiarizados con cómo se convirtió la historia. Si no, ve a repasar a Blancanieves y los siete enanos.

Cuando estás en el mismo estado emocional que la otra persona, tiendes a reflejar o copiar su postura. Por ejemplo, si la otra persona está sentada con las piernas cruzadas sobre otra, te encuentras reflejando la postura de la persona a medida que tu conexión se hace más profunda. Por eso me refiero a las señales de espejo como la sexta etapa de atracción. Curiosamente, puedes reflejar a alguien que te interesa aunque la persona esté al otro lado de la habitación. ¿Qué tan asombroso es eso?

Señales y gestos de citas masculinas comunes

Los hombres no tienen tantas señales o gestos de citas en su repertorio. La exhibición masculina generalmente gira en torno a muestras de poder, riqueza, estatus y masculinidad.

Esto es diferente a las mujeres que tienen una gama de gestos en su arsenal.

En esta sección, exploraremos la mayoría de los gestos masculinos que es probable que veas durante las citas. La mayoría de estos gestos se centran en la región de la entrepierna. Otros gestos incluyen estar de pie, arropar el estómago y empujar el pecho para aumentar su presencia masculina.

Alisará su cuello, enderezará su corbata, tocará su reloj o los gemelos, se quitará una pelusa imaginaria de sus hombros y se arreglará su abrigo o camisa.

La obsesión del hombre con la entrepierna

Como se mencionó anteriormente, la exhibición sexual de un hombre se centra en poner énfasis en la región de la entrepierna. Por ejemplo, el gesto de los pulgares en el cinturón es una exhibición agresiva que resalta la entrepierna. Cuando se apoya contra una pared o en una posición sentada, también puede abrir la pierna para revelar la región de la entrepierna. También puede girar su cuerpo y su pie hacia ti y usar una mirada íntima para captar la atención de una mujer durante mucho tiempo.

La exhibición de la entrepierna también se observa en los primates, donde el macho ejerce el dominio al sentarse con las piernas bien abiertas para revelar el órgano masculino. En Nueva Guinea, los nativos utilizan la vaina del pene para afirmar su dominio y exudar atractivo sexual al sexo opuesto.

Por otro lado, algunos hombres en la cultura occidental emplean el uso de pantalones ajustados o Speedo para acentuar el contorno de sus órganos masculinos.

El ajuste de la entrepierna es también una forma masculina común de exhibición sexual que gira alrededor del ajuste o manejo de la entrepierna. Notarán este gesto mucho cuando los jóvenes machos se reúnen para mostrar su machismo.

Eliminación de las gafas

Este gesto es común a ambos sexos. Normalmente es una de las señales de que la persona está bajando sus barreras a tu alrededor. Es más bien una invitación a que estés pulsando los botones correctos en la conversación. Si en vez de eso, las gafas están levantadas entre ustedes, entonces es una fuerte señal de que la persona no está comprando realmente lo que usted está diciendo.

Pone cualquier cosa en la boca

A veces hecho por hombres, este gesto es frecuentemente usado por las mujeres para indicar interés.

Función rítmica

El balanceo de la pierna, el golpeteo de los dedos, el tamborileo de los dedos o el rebote de la pierna en la punta del dedo son todos movimientos que indican que la persona no está interesada, está impaciente, está nerviosa o aburrida con lo que tiene que decir.

Manos cerradas y puños cerrados

Los puños cerrados significan que la otra persona te ha excluido completamente. Es un precursor de un tono enojado o agresivo o un arrebato.

Capítulo 9 - Interpretación de patrones comunes de comportamiento y análisis

Cada evento trágico nos hace pensar en nuestra propia seguridad. A todos nos gustaría saber qué desgracias y fatalidades nos esperan en el futuro para poder evitarlas a tiempo. Pero, afortunada o desafortunadamente, este conocimiento está fuera de nuestro alcance. Sin embargo, los años de experiencia de los expertos permitieron identificar 6 características básicas que son inherentes a los potenciales criminales. Gracias a estas señales, no es difícil darse cuenta si una persona puede representar un peligro para la sociedad.

Cambio en la autopercepción

El retrato psico-emocional de la mayoría de los delincuentes contiene un detalle común: un pronunciado maximalismo o minimalismo en los juicios, incluida la autopercepción. Una persona puede exagerar su propio significado para ser considerada una representación de lo más alto o, por el contrario, minimizar su papel en la sociedad.

Por ejemplo, uno de los atacantes escribió en su diario personal: "Yo soy Dios". Esta es una idea radical claramente expresada de su superioridad sobre los demás. Sin duda, incluso sin educación especial, es posible notar este tipo de desviaciones en el comportamiento humano. Especialmente si son atípicas para la persona en cuestión.

Como se manifiesta:

- Deseo maníaco de expresar la superioridad racial, de género, social y de otro tipo sobre los demás;

- Subestimación inconsciente de su importancia para el resto del mundo, familiares y amigos;

- Rechazo categórico a considerar cualquier otro punto de vista que difiera del suyo.

Tendencia hacia aficiones peligrosas

Vale la pena decir que el interés por las armas frías o de fuego no es una señal directa de que una persona sea un criminal en potencia. La caza legal, la colección de armas raras cuchillos o rifles, el amor por los juegos de disparos de ordenador no es más que un hobby. Es importante ver y entender la línea que separa un hobby de la tendencia maníaca a los peligros mortales.

Pero si una persona admira a los psicópatas y a los criminales, expresa aprobación y respeto por algunas ideas y objetivos radicales, expresa abiertamente el extremismo, es una buena razón para mantenerse alejado.

La falta de empatía por otra persona

Por regla general, una persona con tendencia a la autodestrucción erradica el sentimiento de compasión y empatía por los demás. En general, estas personas mienten muy bien, son propensas a la violencia y disfrutan de la tortura y la humillación de otras personas.

El mundo moderno está acostumbrado a expresar sus emociones y preferencias de la manera más simple y accesible: a través de las redes sociales. Los videos de categoría 18+ con escenas de crueldad y violencia, llamamientos y eslóganes agresivos, pertenencia a comunidades radicales, son una parte importante de lo que debe preocupar. Con sólo mirar el contenido que le interesa a una persona, a menudo se puede entender qué es lo que está más enfocado.

Cómo se manifiesta:

- La incapacidad de arrepentimiento sincero por las obras realizadas

- La persona no expresa preocupación por las personas que la rodean

- La persona no se preocupa por su propia salud física y emocional

- Gran capacidad para manipular a otras personas para lograr sus propios objetivos.

Trastornos mentales claros

En este caso, estamos hablando de un comportamiento inapropiado que difiere de las normas establecidas. Puede ser una evidente agresividad u odio hacia otras personas y animales, cambios de humor sin razón, intentos de retirarse y abstracción. En realidad, los síntomas son muchos, pero la gente que conoce sus problemas puede ocultarlos bien. Después de todo, en la práctica criminal, hay muchos casos de psicópatas violentos que en el entorno familiar eran personas bastante comunes.

Como se manifiesta:

- Actividad mental alterada y reacciones de comportamiento

- Agresión irracional y cambios repentinos de humor

- Comportamiento que va más allá de los límites de las normas morales y culturales existentes

- La persona puede sentirse inexplicablemente feliz o infelizmente sin importancia por los eventos que ocurrieron

- La vaga conciencia de la realidad y la inadecuada percepción del propio estado

- Problemas para contactar con el mundo exterior

El deseo de abstenerse del mundo exterior puede surgir por varias razones. Puede ser causado por una enfermedad prolongada, un desorden mental, unas largas vacaciones o el uso excesivo de la tecnología moderna.

La tendencia a la desocialización de los adolescentes, los escolares o los estudiantes universitarios suele estar causada por el acoso: terror psicológico, persecución, palizas y humillación de una persona por otra. Los niños y adolescentes, por regla general, tratan de ocultar este tipo de manifestaciones agresivas a los demás, considerándolo vergonzoso. Si usted nota que su amigo, hijo o pariente está bajo presión, entonces de ninguna manera debe hacer la vista gorda.

Depresión

Aquí estamos hablando de una verdadera depresión, no de estrés o de un triste hechizo de mala suerte. Es muy importante distinguir estos conceptos, ya que la depresión es un desorden mental, mientras que el estrés o una triste racha de mala suerte es un fenómeno natural en la vida de una persona.

Los expertos distinguen varios tipos de esta enfermedad, pero todos están unidos por estos síntomas:

- Apatía y letargo, indiferencia, falta de emociones y deseos

- Trastornos del sueño, ansiedad, miedo, pérdida de concentración

- Baja autoestima, un deseo de esconderse de la sociedad

- Pensamientos sobre la muerte, el suicidio, la vida después de la muerte, concentración en los momentos negativos de la vida

- Abuso de alcohol, rechazo a comer o tendencia a comer en exceso, falta de voluntad para cuidar de la propia apariencia

¿Cuál es la conclusión?

A veces todos queremos estar solos, todos tenemos días de mal humor e incluso desbordamientos emocionales. Así que, antes de sacar conclusiones, hay que analizar todos los componentes del comportamiento de la persona, porque muchas de nuestras acciones dependen del contexto de las situaciones en las que nos encontramos.

Y recuerda que la mayoría de los eventos trágicos podrían haberse evitado si alguien hubiera pedido ayuda a otra persona a tiempo.

El comportamiento humano es predecible en un 93%

Un estudio revela ciertos patrones en nuestra movilidad, como el hecho de que siempre volvemos a los sitios ya visitados. Un equipo de investigadores estudió la movilidad de miles de personas a través de las señales de sus teléfonos móviles. Así, han descubierto que nuestros desplazamientos son siempre altamente predecibles, independientemente de si nos movemos a grandes o pequeñas distancias. Conocer los patrones de movilidad humana, que se mantienen en diferentes grupos sociales y entornos, podría servir para optimizar el desarrollo urbano y las políticas de salud pública.

Lo que pensamos sobre nuestro futuro determina nuestra felicidad

La actividad eléctrica del corazón ya puede ser simulada. El estudio muestra que el lenguaje corporal expresa nuestro estatus socioeconómico. La religión es un regulador efectivo del comportamiento humano. Algunos comportamientos humanos tienen un trasfondo evolutivo. El comportamiento humano es predecible en un 93%, dice un grupo de científicos.

El investigador llegó a esta conclusión a partir de una investigación en la que se estudiaron los patrones de desplazamiento de los usuarios anónimos de telefonía móvil.

Específicamente, se analizaron los viajes de un total de 50.000 personas, escogidas al azar de un conjunto de 10 millones de individuos, durante tres meses.

Este estudio ha revelado que, aunque generalmente se cree que la mayoría de las acciones que realizamos son impredecibles y aleatorias, los humanos siguen patrones regulares la mayor parte del tiempo.

Las personas espontáneas son escasas

Los individuos espontáneos son escasos entre la población. Así pues, aunque se han encontrado diferencias significativas en las pautas de viaje entre los individuos estudiados, los movimientos de cada uno de ellos, por separado, son igualmente previsibles.

Esta previsibilidad es, como se ha dicho, del 93%, independientemente de la distancia que la gente recorra al viajar: tanto si se alejan de sus hogares como si se quedan cerca de ellos, se puede "adivinar" con la misma exactitud que descubrirán en la próxima hora.

Otro investigador señala que la gente suele suponer que es más fácil predecir a las personas que viajan muy poco en comparación con las que viajan más de mil kilómetros.

Volver a lo conocido

Sin embargo, este estudio ha demostrado que, a pesar de la heterogeneidad de los desplazamientos, el movimiento de todos los individuos está dentro de lo esperado.

La investigación también ha mostrado otro aspecto sorprendente de la movilidad de la población: las pautas de los desplazamientos individuales no varían significativamente en función de determinadas categorías demográficas, como la edad, el sexo, la densidad de población o si el lugar estudiado es rural o urbano

En otras investigaciones anteriores sobre patrones de movilidad, los investigadores estudiaron las trayectorias en tiempo real de 100.000 usuarios anónimos de teléfonos móviles. Estos usuarios también fueron seleccionados al azar, de una lista de más de seis millones de personas.

En este caso, los resultados fueron similares a los de la presente investigación: los científicos comprobaron que, a pesar de la diversidad del historial de viajes de cada uno de los individuos analizados, todos siguieron patrones de movilidad reproducibles.

Por ejemplo, las personas, durante más o menos kilómetros que viajan, siempre tienen una fuerte tendencia a volver a lugares que han visitado anteriormente.

Para qué es

Como publicaron los científicos, la previsión de los movimientos de personas podría servir como recurso de gestión para las comunicaciones móviles.

Por otra parte, también sería útil para hacer modelos de la expansión de las epidemias, para llevar a cabo una mejor planificación urbana o para diseñar el tráfico de manera más eficiente.

En general, el hecho de poder conocer científicamente cómo se va a desplazar la población podría tener un impacto positivo en la sociedad, en las políticas de salud pública y en el desarrollo urbano.

Ser un modelo de comportamiento para un adolescente

En esta sección, hablaremos de la importancia de la modelación y de cómo conseguir que su hijo cambie a través de la imitación de otras personas o de usted mismo. Tenga en cuenta que el modelaje es una de las herramientas que puede utilizar para cambiar el comportamiento de su hijo.

La psicología ha estudiado tradicionalmente la imitación. Los seres humanos son seres sociales y la naturaleza nos ha dotado de una capacidad innata para aprender de los demás repitiendo su comportamiento.

Esta es una manera fabulosa de mantener la cultura a nivel de la sociedad, pero también es una forma de lograr un cambio específico de comportamiento en aquellos que lo necesitan.

La idea básica de esta técnica es simple. Su hijo puede cambiar su comportamiento viendo a otras personas hacerlo y evaluando las consecuencias para ellos.

Imagine posibles escenarios:

Descubra las mejores herramientas educativas para conectarse con su hijo adolescente. Un curso especialmente diseñado para mejorar la comunicación en casa y la motivación de su hijo.

Aprenda o incremente un comportamiento ante un modelo que obtiene recompensas: piense en un niño pequeño que ve a otro niño obtener lo que quiere de los adultos cuando llora o aúlla.

Recuerdo la historia de un amigo que a los 3 años reconoció ser el matón de la clase. Tenía una voz tan inusualmente poderosa para su edad que cuando lloraba, asustaba al resto de sus compañeros. Sólo para que la profesora se callara le daba cualquier capricho que tuviera. Hoy en día, mi amigo admite haber usado esta habilidad para obtener un beneficio.

Lamentablemente, otros niños de esa misma clase aprendieron sus trucos de él, distribuyendo no pocos dolores de cabeza entre sus familias. En este ejemplo, la clave es que mi amigo fue recompensado públicamente por sus gritos.

Disminuir o eliminar un comportamiento frente a un modelo castigado. Como animales inteligentes, huimos de situaciones en las que vemos a otros meterse en problemas. Imagine que su hijo contempla cómo sus compañeros de clase se ríen de un chico con gafas. Es muy probable que si un día los necesita se resista a usarlos o le pida que use lentes de contacto para evitar ser discriminado.

En ambos ejemplos, hay un modelo que obtiene algunas consecuencias de su grupo social por sus comportamientos. Las personas que rodean este modelo aprenden de estas consecuencias e intentan repetir o evitar su comportamiento dependiendo de si son recompensados o castigados.

Características de un modelo efectivo

Como seres humanos, tenemos la capacidad de imitar los modelos de nuestro nacimiento. Esta capacidad se ha relacionado con las habilidades de cooperación, socialización y empatía.

Nuestro cerebro contiene una serie de neuronas espejo que están estrechamente relacionadas con esta habilidad. Gracias a ellas podemos aprender de los comportamientos de otras personas con sólo observarlos.

Curiosamente, esta capacidad de aprender a través de la imitación y las neuronas espejo también se ha encontrado en otros animales como los primates y algunos pájaros. Por lo tanto, no es una capacidad exclusivamente humana.

La investigación sobre el tipo de modelo de comportamiento de un adolescente ha encontrado algunas características comunes:

Imitan a las personas que se consideran competentes y son prestigiosas o tienen un estatus social.

Aquellas personas similares en edad, sexo y etnia serán consideradas como un modelo a imitar con mayor probabilidad. En este punto, los niños y los adolescentes son una excepción, ya que también tienden a imitar los modelos de los adultos.

Tienden a emular aquellos modelos que obtienen consecuencias positivas por sus comportamientos observados. Mi amigo fue imitado por sus compañeros porque gritar invariablemente ganaba un premio.

La televisión como un modelo a seguir para un adolescente

Una de las curiosidades que se han encontrado en la investigación sobre la imitación es que el modelado puede ocurrir desde una persona presente o ser simbólico, sin que haya una referencia real.

Es decir, el aprendizaje y la imitación del comportamiento puede producirse viendo un vídeo o escuchando una grabación de sonido. Este es un fenómeno muy común que ocurre continuamente en nuestra sociedad, también en el mundo adulto.

Podemos incluso afirmar que la televisión es el principal modelo de comportamiento de nuestra sociedad. El cine y la publicidad son dos grandes escuelas de conducta para nosotros y día a día crean una tendencia en nuestra cultura.

La televisión puede convertirse en un modelo a seguir para un adolescente. Piense en cómo la Unión Europea enfrentó el poder de las grandes compañías tabacaleras para prohibir la publicidad del tabaco en la prensa, la radio e Internet a partir de 2005.

Cursos de padres en la nube

Regístrate en los mejores cursos para educar a tu hijo adolescente. Descubrirás las técnicas más efectivas para lograr una mejora en la comunicación y la motivación en tu hogar.

Es difícil saber qué modelos elegirá tu hijo para imitar durante su adolescencia. Pero puedes intentar convertirte en un modelo. Para ello, proponemos las siguientes estrategias que como padre puede utilizar para lograrlo.

Utiliza más de un modelo siempre que sea posible: los estudios demuestran que es mucho más eficaz si el comportamiento se produce en varias personas. Imagina que educas a tu hijo para que no fume y que eres un modelo para él porque no lo haces. La imitación será mucho más efectiva si ni tu pareja ni tus maestros de escuela fuman. Esto es efectivo porque hará más creíble para tu hijo lo que observas. Es decir, cuanto mayor sea el número de modelos que cumplan con el comportamiento, mayor será la probabilidad de imitación.

Plantear conductas a imitar que no excedan la capacidad de su hijo: parece obvio pero piense si a veces ha esperado que su hijo imite sus conductas que puede no entender o no ser capaz de repetir. Lo ideal es que el modelo de comportamiento de un adolescente de este tipo de comportamiento complejo empiece con actos simples y se vaya complicando poco a poco. Un ejemplo típico de este punto sería que tu hijo es capaz de hacer la compra de forma independiente. Aunque ahora no lo vea, este comportamiento incluye muchos repertorios de diferentes habilidades que puede dividir e ir modelando poco a poco. Localizar los productos, calcular el precio, interactuar con los trabajadores del supermercado y así sucesivamente.

Percepción de las consecuencias de los comportamientos: será mucho más efectivo para tu hijo ver cómo un amigo suyo que ha faltado al respeto a un profesor recibe su castigo. Si esto sucede, puede anticipar las consecuencias de repetir ese tipo de comportamientos y le será más fácil no repetirlos.

Recompense los éxitos: si tu hijo logra reproducir el comportamiento que quieres que imite, recompénsalo por ello. Será la mejor manera de acelerar el proceso de imitación y así entenderá directamente que va por buen camino y que tiene tu aprobación.

Capítulo 10 - Posibles excepciones en el análisis de personas

El concepto de verdad es relativo. Lo que es cierto para ti puede no ser la verdad universal. La verdad universal, en algunos casos, puede no ser siempre la verdad. La verdad dependerá del contexto de la conversación. Usemos este ejemplo para ilustrar este punto:

"Tu equipo de fútbol juega bien y crea muchas oportunidades, pero pierdes el juego en los penales. Este es un juego que, por las oportunidades creadas y el estilo de juego, deberías haber ganado".

¿Jugaste bien? La respuesta depende de la perspectiva. Perdiste el juego, así que es justo que un extraño crea que no jugaste bien. Sin embargo, alguien íntimo del juego que lo vio sabe que esto no es cierto. Saben que jugasteis bien, os superasteis a vosotros mismos, pero de alguna manera, perdisteis el partido en los penaltis. Cualquiera que entienda el juego sabe que cuando se trata de penales, todo es posible.

[INFLUENCE = INFLUENCIA]

Así que la verdad es que jugaste bien. Sin embargo, no ganaste. No es fácil reconciliar estas dos realidades. Es por eso que a menudo encontrarás a los entrenadores lamentándose después de un juego que el mejor equipo perdió.

El hecho de que la verdad pueda ser relativa es uno de los mayores riesgos para el concepto de la verdad. La gente puede torcer la verdad para adaptarla a su contexto. En psicología, es importante que aprendas a identificar los pensamientos irracionales, que se manifiestan en distorsiones cognitivas. Estas distorsiones afectan a tu fuerza mental. Cuanto más tiempo se manifiestan, más débil se vuelve tu resolución mental.

Cuando analizas a las personas, tienes que ser consciente del hecho de que todo lo que haces es acerca de la comunicación, y la comunicación funciona en ambos sentidos. Sólo puedes recibir tanto como estés dispuesto a dar. Hay algunas excepciones que debes recordar porque, si no lo haces, podrías perder fácilmente la trama y ceder a tu sesgo personal, lo que eventualmente afecta la forma en que lees a la gente.

Personalizar la situación. En tus interacciones, es saludable asumir que el mundo no gira a tu alrededor porque, para ser honesto, no lo hace. Sin embargo, esta suposición y la conciencia de su efecto son dos cosas diferentes. Cuando personalizas los problemas, afectas la forma en que tu cerebro digiere el mensaje. Esto, a su vez, afecta el mensaje que envías, y antes de que te des cuenta, todo el paradigma de comunicación está distorsionado.

Es catastrófico. Si piensas en algo durante tanto tiempo, puede que simplemente ocurra. Esto se trata principalmente de pensamientos y sentimientos negativos. La gente nunca entiende realmente los riesgos involucrados cuando potencian la negatividad en sus mentes de esta manera. Tienes que tratar de mantener una mente abierta sobre todo. No juzgues a alguien antes de conocerlo. Si lo haces, te pones ansioso por el encuentro, y cuando los ves, tu atención puede distraerse por algo que dicen o hacen. Un error inocente puede hacerte pensar: "Sabía que lo harías de todas formas", lo que te impide la posibilidad de comunicarte con alguien de forma abierta y honesta.

Generalidades. El problema con las generalizaciones es que limitan tus opciones y tu esfuerzo. Una vez que generalizas sobre alguien, es difícil verlos de manera diferente. En su mente, sólo pueden ser tan buenas como el grupo en el que las puso. Si intentan algo diferente, te preguntas por qué pensaron en eso en primer lugar. Las generalizaciones impiden establecer una auténtica conexión y comunicación con la gente.

Lectura de la mente. Es irónico que, mientras intentamos aprender a leer y analizar a la gente, la lectura de la mente es una de las cosas que podría hacer esto imposible. ¿Cómo es esto así? Estás intentando leer a alguien basándote en lo que te presenta. Tu análisis debe basarse en pruebas tangibles, lo que dicen, cómo lo dicen, cómo lo probaron, y así sucesivamente.

Lo que crees que está pasando por su mente no es tangible. No tienes ninguna prueba de que piensen que eres un idiota. No tienes pruebas de que sientan que no eres la persona adecuada para el trabajo a menos que lo digan. La lectura de la mente a menudo te hace concluir que alguien no tiene la oportunidad de representarse a sí mismo. El resultado es que no se entienden en absoluto.

Estos errores son más comunes en la comunicación de lo que crees. Lo que necesitas hacer es desafiar los pensamientos cuando se encuentran en lugar de alimentarlos. Un enfoque basado en la evidencia es la mejor manera de tratar estas excepciones. Si no tienes evidencia para probar que algo sucedió, tus pensamientos sobre lo que sucedió no son verdaderos. Deshazte de todo y permite que la otra persona proceda.

Cambiar tus pensamientos es tan difícil como aprender sobre ti mismo. Puede ser difícil al principio, pero cuanto más practiques y aprendas lo que tienes que hacer, será más fácil.

Capítulo 11 - Lectura rápida

La lectura rápida es una técnica para aumentar la lectura sin comprometer la comprensión y la retención de la información. Hay varios métodos diferentes de lectura rápida, pero todos ellos apuntan a leer claramente, pero más rápido.

Para los que trabajan como autónomos, especialmente los productores de contenidos web, marketing digital, etc., la lectura es una actividad primordial. Y la velocidad de lectura te permite aprovechar aún más el tiempo que tienes disponible para esta actividad. Es a través de la lectura que se profundiza en el conocimiento para argumentar con más fuerza y mantener su repertorio de temas relevantes y actualizados.

Desafortunadamente, no siempre es posible dedicar el tiempo necesario para completar la lectura de un artículo o un libro. En esta situación, la lectura rápida le ayuda a extraer la información más importante en menos tiempo.

¿Qué es la lectura rápida?

La lectura rápida es una técnica que busca aumentar la velocidad de lectura sin comprometer la comprensión y la retención de la información. Hay varios métodos de lectura rápida diferentes tanto para libros como para textos en línea y todos ellos tienen como objetivo leer con claridad así como más rápido.

Echa un vistazo a esta guía paso a paso y aprende a mejorar tus habilidades de lectura rápida!

1. Entrena tus ojos para hacer saltos más grandes

¿Sabes cómo funciona el movimiento de tus ojos mientras lees? Básicamente, es un movimiento de salto. Tus ojos se fijan en un punto de la línea y luego saltan al siguiente.

Cuanto más alto es este salto, más competente es tu lectura. Los lectores principiantes, como los niños, se saltan sólo una palabra a la vez y por lo tanto tardan más en terminar cada línea. Por lo tanto, el primer paso de la lectura rápida es entrenar el movimiento del ojo para que sea más amplio.

2. Sigue recto

El segundo paso es controlar esa ansiedad, ese sentido de obligación de entender el 100% del texto. Vamos a llevar esto más allá, pero sabemos que el 80% de comprensión es un objetivo excelente.

En otras palabras, no tienes que volver al principio de la página cada vez que no entiendes una línea. Después de todo, la relectura puede llevar mucho tiempo, y eso es precisamente lo que intentamos evitar.

Además, se puede entender completamente la idea general de un texto, aunque algunos extractos son más confusos. Entonces, después de terminar el texto, retome sólo las partes en las que tiene dudas. Pero si te detienes y regresas constantemente, nunca terminarás de leer.

Otro consejo importante es no interrumpir la lectura para revisar el diccionario. Si tienes mucha curiosidad por el significado de una palabra, escríbelo para comprobarlo más tarde. Sin embargo, no abandone el texto para revisar el diccionario porque cuando regrese, le llevará aún más tiempo reanudar la lectura.

Mientras tanto, intente comprender el término por su contexto: puede que no absorba el significado exacto de la palabra, pero será suficiente para entender el mensaje que el autor quería transmitir.

3. Deje de pronunciar las palabras

El tercer paso es eliminar una práctica negativa que es un hábito de muchas personas: pronunciar las palabras como se leen, ya sea en voz alta o mentalmente.

Este hábito impide el desarrollo de la lectura rápida porque significa que literalmente leerá palabra por palabra.

La velocidad disminuye y, por increíble que parezca, la capacidad de comprensión también. Debido a que su cerebro estará ocupado con la pronunciación, no podrá concentrarse en interpretar lo que está leyendo. El resultado es que tendrás que releer el mismo tramo varias veces.

Si está demasiado acostumbrado a pronunciar mientras lee, perder este hábito puede ser un proceso difícil y que requiere mucho tiempo. Un consejo interesante es poner un lápiz en su boca mientras lee. Con un poco de práctica, perderá esta "manía" y verá cómo mejora su tiempo de lectura.

4. Usar la técnica de desnaturalización

El cuarto paso es "desnaturalizar". Esta es una técnica bien conocida para el inglés instrumental, pero también es útil para la lectura rápida en cualquier idioma.

El "skimming" consiste básicamente en hojear rápidamente un texto para extraer información básica - índice, título, autor, fecha de publicación, tema principal, subtemas desarrollados, gráficos e imágenes.

Esta técnica es útil para evaluar rápidamente cualquier texto y luego establecer si se debe dedicar más tiempo a una lectura completa.

Si está investigando sobre un tema específico, por ejemplo, el descremado le permitirá identificar si un artículo o libro en particular tiene información relevante sobre el tema. Además, encontrará más fácilmente los extractos que le interesan.

5. Usar la técnica de escaneo

El quinto paso, el "escaneo", es otra técnica utilizada en el Instrumental Inglés. Consiste básicamente en mirar el texto para identificar palabras clave, que en este caso son términos relevantes, relacionadas con la información que se quiere extraer de ese contenido.

Supongamos que estás leyendo un artículo de veinte páginas sobre Gestión de Personas, pero el tema que realmente te importa es la Productividad. En ese caso, no tiene que leer las veinte páginas, que sin duda le informarán sobre otros temas que no son importantes para usted en este momento.

En lugar de ello, basta con buscar en el artículo términos directamente relacionados con la productividad, como "tiempo", "organización", "concentración", etc. Cuando encuentre uno de estos términos, sólo tiene que leer ese pasaje. Así, rápidamente se obtiene información que es de interés para usted y se "salta" el resto.

6. Controla tu desempeño

Una vez que incorpores lo que has aprendido en los primeros cinco pasos, la evolución de tu lectura rápida dependerá de la práctica. Pero para ver si está funcionando, necesitas seguir tu progreso.

Así que el sexto paso es coger un temporizador y controlar cuántas palabras lees por minuto. Como referencia, ten en cuenta que un lector típico lee, en promedio, 150 palabras por minuto. Mientras tanto, un buen practicante de lectura rápida puede leer hasta 800 palabras por minuto.

Pero no se limite a controlar la velocidad. Tenga en cuenta, también, el uso de la lectura, es decir, cuánto puede entender el texto sin tener que volver a él una segunda vez. Su objetivo debe ser un promedio de 80% de utilización.

Recuerde que no tiene sentido acelerar la lectura, y por lo tanto disminuir la comprensión de lo que se ha leído, ya que la relectura también representa una pérdida de tiempo.

7. Entrena tu capacidad de concentración

Ahora que hemos cubierto las mejores estrategias para acelerar la lectura en sí misma, tomemos algunos consejos que mejorarán su experiencia de lectura en su conjunto y, como resultado, le ayudarán a absorber más información en menos tiempo.

La capacidad de mantenerse enfocado mientras se lee es fundamental para ser productivo y no perder el tiempo. Cuanto más profundamente te "sumerjas" en el texto, mejor entenderás lo que el autor escribió.

¿Qué pasa, entonces, si vas a cada dos párrafos para comprobar las notificaciones de tu teléfono móvil? La experiencia se interrumpirá y se reanudará continuamente, lo que disminuye tu capacidad de comprensión y por lo tanto te lleva a tomarte más tiempo para entender lo que se lee.

De esta manera, se pierde el doble de tiempo: el tiempo extra que se necesita para entender lo que se lee y los preciosos minutos que se pierden con las distracciones (Smartphone, ordenador, redes sociales, etc.).

Si lo sufres a menudo, la clave es convertir la productividad en un hábito. Para ello, cuando leas, mantén alejadas las distracciones. Esto significa no dejar el teléfono cerca, no tener el ordenador a tu lado y, si es posible, apagar Internet o, al menos, poner tus aparatos en modo avión.

Este tiempo es para que te dediques al texto y nada más! Cuanto más te concentres en la lectura, mejor será tu capacidad para practicar la lectura rápida.

8. Encuentra un lugar tranquilo para hacer tu lectura

El lugar que elijan para hacer sus lecturas también influye en gran medida en la velocidad y el dinamismo de la actividad, algo muy relacionado con el peligro que representan las distracciones, como acabamos de mencionar.

El ruido del tráfico, del trabajo, de un establecimiento (como un bar, por ejemplo) e incluso de la música puede perturbar su capacidad de concentración, haciendo que "deje" de leer con frecuencia. Además, si usted está leyendo en un ambiente con otras personas, también será directamente interrumpido si le hablan, incluso si se trata de un diálogo rápido.

Además del silencio, es importante que el rincón elegido para la lectura sea cómodo. Cuando se está cómodo leyendo, es mucho más fácil complacerse en el texto y dedicarle toda su atención. Y si tienes un espacio especial donde te gusta leer, otra ventaja es que esto hará más fácil establecer la lectura como parte integral de tu rutina.

9. No insistas cuando estés cansado

Puede que hayan oído que no es muy productivo para un estudiante pasar la noche estudiando para un examen que se dará al día siguiente. En ese momento, la desesperación de unas pocas horas extra de estudio ya no es tan importante como el resto, lo que permitirá más concentración y mejor memoria para el estudiante durante el examen.

El mismo principio puede aplicarse a la lectura rápida. Cuando estamos cansados, sin importar si el agotamiento llega a nuestro sitio y/o cabeza, nuestra capacidad de concentración disminuye dramáticamente. Tendrá que leer y releer el mismo pasaje varias veces, y por supuesto, toma mucho más tiempo leer cada línea.

Y lo peor es que al día siguiente puedes recoger el texto y darte cuenta de que no puedes recordar mucho de lo que leíste la noche anterior. Esto se debe a que un cerebro cansado también disminuye su capacidad de retener información.

Así que, un punto importante de la lectura de la velocidad es saber el momento de parar.

10. Lee siempre que puedas

¿Qué no le gusta al lector sentarse en su sillón favorito y entregar horas y horas a un libro o incluso un texto relevante y de alta calidad? Sin embargo, como bien sabes, esto no siempre (o mejor dicho, casi nunca) es posible.

¿Significa esto, entonces, que está obligado a una rutina? ¡Por supuesto que no! Resulta que no tiene que autogolpearse por no poder dedicar varias horas de cada día a la lectura.

Empieza a disfrutar de cada minuto libre, sobre todo en lo que se refiere al tiempo ocioso que se pasa en las colas, las salas de espera o en el transporte público, por ejemplo. ¿Y qué tal si se va un poco más temprano a la cama, todas las noches, y lee antes de dormir?

Un bloque de quince o veinte minutos en el que no se hace nada cuando se dedica a la lectura se convierte en un tiempo bien empleado. Con esto se avanza mucho más rápido en las lecturas, aunque no se puede leer mucho cada día. Otra ventaja es que esto le ayudará a construir el hábito diario de la lectura y, quién sabe, incluso te animará a separar algunas horas de tu día en la actividad.

¿Ya practicas la lectura rápida? ¿Cuál es tu velocidad y tus logros en la lectura? Si aún no ha alcanzado los objetivos propuestos aquí, no te preocupes. La lectura es un hábito que no puede temer desarrollar, y los beneficios son gigantescos.

Piensa, sin embargo, que la tendencia es mejorar tu vocabulario con la lectura constante. Y con un vocabulario completo, tendrá más y más facilidad para leer y entender textos más largos.

Consejos esenciales que debes saber sobre la lectura rápida

Aprende a leer más rápidamente asegurándote de que todo el contenido que aprendas no se pierda en tu mente después de unos días.

Responde rápidamente! ¿Lees rápido o lento? ¿Has intentado alguna vez calcular tu velocidad de lectura? Por cierto, ¿has oído hablar de la lectura dinámica?

Si no es así, debería hacerlo. Bueno, si te encanta leer o incluso depender de ella para los estudios, este modo de lectura avanzada podría ayudarte mucho!

La lectura dinámica es un tipo de lectura más rápida que te hace leer mucho en poco tiempo. Puede que estés pensando: leer rápido es fácil, pero no puedes memorizarlo de esa manera. Por lo tanto, la lectura dinámica asegura esto sin perjudicar su capacidad de absorber el contenido.

Hemos preparado algunos consejos esenciales para que empieces a aumentar tu velocidad de lectura.

Comprender: Hay diferentes tipos de velocidad de lectura. Hay algunas diferencias de lectura que puede que no conozcas y es importante que las conozcas. Como dijimos, una lectura más ágil y concentrada reduce el tiempo necesario para el aprendizaje. Por lo tanto, optimiza la productividad y asegura que todo el contenido aprendido no se pierda en su mente después de unos días.

Y esto es esencial para estudiantes, concursantes, o incluso profesionales del mercado de la medicina y el derecho que necesitan leer constantemente. Pero esto no está restringido a un grupo de personas. La lectura dinámica puede ayudar a alguien que ya tiene el hábito de leer a convertirte en un lector con un repertorio aún mayor.

Hay que entender que la lectura dinámica tiene dos factores fundamentales: la velocidad del contenido y la retención. En resumen, la lectura demasiado lenta puede obstaculizar el progreso de cualquier lectura o estudio. Al igual que leer demasiado rápido y no entender el tema tampoco es bueno.

Por lo tanto, es esencial encontrar un equilibrio leyendo a una velocidad rápida que no perjudique la retención de la información.

Valiosos consejos para cualquiera que quiera empezar a leer de forma dinámica

- Empieza despacio. ¡Lee cada 15 minutos gratis!

- Reste sólo minutos de sus actividades diarias para leer.

- Caminen con un libro en la mano y usen cortos espacios de tiempo para leer.

- Lee durante 20 minutos mientras esperas que la cena esté lista en el horno.

- Lee mientras esperas el autobús para ir a trabajar y si es posible, incluso mientras conduces.

Con el tiempo y la práctica, la lectura dinámica ya estará en su mano sin esfuerzo.

¡Haz una prueba para saber cuán larga es tu velocidad de lectura!

La medida usada para calcular la velocidad de lectura es el número de palabras leídas por minuto (PPM). Normalmente, una persona promedio con un hábito de lectura lee alrededor de 250 palabras por minuto. Para saber cómo calcular, siga estos pasos:

Cuente el número de palabras en las primeras 3 líneas del mismo texto. Si estás leyendo en Word, te muestra cuántas palabras hay en el texto.

Divide el número total de palabras de las 3 primeras líneas por 3. El resultado será el número promedio de palabras por línea.

Multiplica el número promedio de palabras por línea por el número de líneas que lees en un minuto. El resultado final será su índice PPM.

Veamos en la práctica:

Digamos que las tres primeras líneas de un texto tienen 29 palabras. Por lo tanto, el número promedio de palabras por línea sería de 9,6 (29/3 = 9,6).

Ahora imagina que has leído 30 líneas de ese mismo texto en 1 minuto. En este caso, su resultado sería 288 PPM (30 × 9,6).

Es decir, un resultado de un lector ordinario, pero aún así ligeramente por encima de la media de 250 PPM.

Ahora que tienes el resultado en la mano, comienza con la primera punta. Comienza leyendo lentamente durante unos minutos. Cuando te sientas cómodo, mejora tu velocidad de lectura. Por lo tanto, determina una meta para ti y trata de cumplirla. Debe tener una meta antes que nada.

Vuelve a hacer los cálculos. No te preocupes si al principio estás por debajo de la media. Es totalmente comprensible y normal. De hecho, si estás muy por encima de la media, probablemente no has hecho el ejercicio correctamente. Y sólo hay una forma de saber si inconscientemente no te has saboteado a ti mismo: intenta explicar el contenido de lo que se ha leído a alguien. Esta es la mejor manera de probar que tu retención de contenido fue buena.

Aumenta tu velocidad de lectura. La mejor manera de leer más rápido es practicar la lectura todos los días.

Cuanto más leas, más rápido será. Y ya puedes empezar a hacerlo.

Capítulo 12 - Persuasión vs. Manipulación

Persuasión

Cuando escuchas la palabra persuasión, ¿qué te viene a la mente? Tal vez los jingles publicitarios de un producto que te incita a comprarles una pizza, o tal vez los eslóganes de campañas políticas que tratan de convencerte de votar por un candidato en particular, o tal vez un vendedor agresivo que trata de venderte un coche. ¡Tienes toda la razón si crees que esos son actos de persuasión! Los políticos, las noticias, los medios de comunicación, los procedimientos legales y la publicidad pueden persuadirte e influir en tu toma de decisiones. A la mayoría de la gente le gusta pensar que son inmunes a tales influencias. Pero la mayoría de nosotros tenemos zapatillas Nike, gafas de sol Ray Ban o, por supuesto, el nuevo iPhone. Así que la publicidad debe haber influido en tu decisión. La persuasión es constitucional dentro de la comunicación humana y la interacción social. Cuando se comunica, con o sin intención, la gente siempre apoya y/o promueve ciertas ideas y comportamientos por encima de otros. Por lo tanto, la persuasión es intrínseca a la interacción social y no una cuestión de elección.

La persuasión incorpora símbolos, verbales y no verbales, para cambiar actitudes. Por ejemplo, imágenes como Nike Swoosh o Adidas Tres Rayas; palabras como libertad y justicia; signos no verbales como Santa Cruz o Estrella de David.

La persuasión implica un intento consciente y reflexivo de influir en otra persona. El persuasor siempre es consciente de la susceptibilidad potencial de la persona para aceptar el cambio.

La persuasión es un acto voluntario de cambiar nuestra propia actitud o comportamiento.

La persuasión está completamente impulsada por la ciencia de la comunicación y requiere una transmisión de un mensaje verbal o no verbal al persuadido.

La persuasión del yo está en el corazón del arte de la Persuasión. La gente siempre debe ser libre de decidir si y cómo quiere cambiar su actitud y comportamiento.

En 1980, Gerald Miller, sugirió que las comunicaciones pueden ejercer diferentes efectos persuasivos, a saber:

Por ejemplo, la campaña publicitaria de Nike, en la que Michael Jordan conectaba el Nike Swoosh con la idea de un atletismo sobrehumano.

Reforzamiento - Por ejemplo, los expertos en salud hacen declaraciones públicas para reforzar la continua determinación de la gente de abstenerse de beber en exceso.

Tal vez la regla más importante de la buena persuasión es hacer sugerencias usando palabrería sin valor. La persuasión es un acto positivo hecho en un intento de alterar la opinión de la gente. Por ejemplo, si estás de visita en el extranjero y entras en un restaurante. Tienes mucha hambre pero estás confundido en cuanto a lo que debes pedir. Al revisar el menú, se encuentra con una sección llamada "Platos más populares" o "Especialidades", es muy probable que ordene un plato de esa sección.

Ethos (Carácter)

Aristóteles sugirió tres factores principales que contribuyen al Ethos: "el buen carácter moral (arête); la buena voluntad (eunoia); y el buen sentido (phronesis)". El persuasor debe ser capaz de construir credibilidad y compenetración con su audiencia. La palabra "Ética" se deriva de hecho de "Ethos". Ethos, el atractivo ético, se refiere al carácter y la credibilidad del autor tal como los percibe el público. Por ejemplo, si usted estuvo enfermo y su médico le recomendó el tratamiento A y su amigo íntimo, que no tiene formación médica, le recomendó el tratamiento B, definitivamente elegirá el tratamiento A, ya que fue recomendado por alguien que usted cree que tiene credibilidad en ese campo. Pero es más probable que aceptes una recomendación de tu amigo sobre nuevas películas que tu médico.

Pathos (Emoción/Empatía)

Un término coloquial muy utilizado, como apatía, simpatía, patético y, por supuesto, empatía, se deriva de "Pathos". Pathos puede definirse como el acto de utilizar historias y experiencias compartidas para invocar emociones en la audiencia. En el idioma griego, Pathos significa sufrimiento y experiencia. Este método puede utilizarse para atraer la compasión o incitar la ira en el público, para incitarlo a la acción.

Aristóteles sugirió estas emociones positivas y negativas mutuamente excluyentes, que pueden ser utilizadas por el persuasor para crear empatía con su audiencia: "Ira y calma; Envidia y emulación; Enemistad y amistad; Miedo y confianza; Amabilidad y desamor; Lástima e indignación; Vergüenza y desvergüenza".

La poderosa herramienta de Pathos, permite al persuasor remover las emociones deseadas en la audiencia, creando un vínculo y construyendo empatía. El poder de la empatía no debe ser socavado ya que las emociones humanas siempre triunfan sobre el razonamiento. Miren nuestra historia, los líderes políticos más influyentes fueron capaces de ganar sus argumentos persuadiendo emocionalmente y con empatía a sus audiencias. Por ejemplo, el discurso de Martin Luther King, Jr. "Tengo un sueño", fue capaz de invocar la empatía por la comunidad negra en la comunidad blanca y tuvo un efecto revolucionario en la formación de la América moderna.

El arte de construir la empatía

Al crear empatía, la audiencia es más receptiva al mensaje de su persuasor. Para poder persuadir con éxito a su público, debe ser capaz de entender las emociones predispuestas de su público. Tenga en cuenta el estado mental de su público y evalúe por qué se sienten así y a quién se dirigen esas emociones. Tu capacidad de crear empatía y conexión emocional con tu público, a su vez, construye tu Ethos (carácter y credibilidad) con el público.

Aquí hay algunas maneras de ayudarte a construir la empatía con tu audiencia:

¡Todos somos humanos! - Si puedes mezclarte fácilmente con tu público y hacer que te vean como parte de su propia "comunidad", la gente inevitablemente conectará contigo emocionalmente.

Sé auténtico - Nadie quiere ser manipulado. Si tu audiencia sospecha que tienes motivos ocultos y no eres genuinamente "uno de ellos", perderás toda tu credibilidad al instante.

Estructura tus declaraciones para que resuenen con la audiencia. Cada tema tiene múltiples aspectos y perspectivas subyacentes. La clave es encontrar lo que funcionaría con tu audiencia. Por ejemplo, podría haber oradores que encabezan para hablar de la preservación de la vida silvestre. Uno podría decir "Puedes hacer la diferencia - La vida silvestre necesita nuestra ayuda" y otro podría decir "Simposio sobre la preservación de la vida silvestre". Sé qué orador estaré escuchando.

Narrar una historia - La psique humana está diseñada para mostrar respuestas emocionales a las historias. Las historias tienden a ser más memorables e inspiran acción. Las historias personales tienen un gran impacto en la construcción de la empatía, pero también podrías compartir historias de alguien que conoces o incluso fábulas. El acto de contar una historia dará una impresión a tu audiencia de que entiendes la emoción subyacente y de que la asumes.

Discurso metafórico - Al igual que la narración de historias, las metáforas tienden a ser más memorables y hacen que tu discurso sea intrigante. En palabras de Aristóteles, las metáforas dan encanto, claridad y distinción a tu discurso como ninguna otra. Por ejemplo, el uso de la metáfora bancaria de MLK en su "discurso de los sueños", fue recibido con estruendosos aplausos. MLK dijo "En lugar de honrar esta sagrada obligación, América ha dado al pueblo negro un cheque sin fondos, un cheque que ha vuelto marcado como "fondos insuficientes". Pero nos negamos a creer que el banco de la justicia está en bancarrota. Nos negamos a creer que no hay fondos suficientes en las grandes bóvedas de la oportunidad de esta nación. Y así, hemos venido a cobrar este cheque, un cheque que nos dará a pedido las riquezas de la libertad y la seguridad de la justicia".

Usen ayudas visuales - Recuerden "Una imagen vale más que mil palabras"! El uso de imágenes poderosas incitará emociones y ayudará a crear empatía con la audiencia. Por ejemplo, recientemente la imagen de un niño sirio magullado e indefenso se hizo viral, porque creó una ola de empatía por los supervivientes de la actual guerra de Siria.

Entrega del discurso - No hace falta decir que el tono y el volumen del discurso debe ser acorde con su audiencia.

El poder de las palabras - El idioma inglés tiene un montón de sinónimos para los términos cotidianos, proporcionando un espectro de intensidad para la misma emoción. Por ejemplo, dolor y agonía; hambriento y hambriento o triste y devastado. Tenga a mano un tesauro y utilice las palabras adecuadas.

Logos (Lógica/Razonamiento)

La palabra "lógica" es, lo adivinaste, derivada de Logos. En griego, Logos significa literalmente "palabra". Logos se refiere al acto de apelar a la mente de su audiencia, usando la lógica o la razón. El persuasor efectivo reconoce que usar sólo el Logos, sin Pathos y Ethos, los pone en riesgo de perder su audiencia. Con este tipo de persuasión, sólo se pueden emplear hechos y estadísticas para alterar la actitud y el comportamiento del público. No hay lugar para las mentiras y el engaño. La apelación a la razón es una medida y una cuidadosa representación de los hechos y la información de una manera lógica. La teoría de la lógica puede ser categorizada en dos: Razonamiento deductivo y razonamiento inductivo.

Razonamiento deductivo - Se basa en la suposición de que si la premisa es cierta, la conclusión también lo sería. Por ejemplo, si la suposición es que a los niños les encanta el helado y se les presenta la premisa de que Jack es un niño. Puedes concluir con seguridad que Jack ama el helado.

Razonamiento inductivo - Como era de esperar, el razonamiento inductivo es la ingeniería inversa de la premisa de la conclusión. Por lo tanto, incluso si la premisa es verdadera, la conclusión puede ser falsa. Por ejemplo, si la premisa es que al 25% de los atletas americanos les gusta leer, la conclusión de que al 25% de la población americana le gusta leer puede o no ser verdadera.

Manipulación

La Manipulación Psicológica puede definirse como una forma de influir en las emociones, actitudes o comportamientos de las personas que no es ni la persuasión racional ni la coacción. El término manipulación es inherentemente pensado como negativo e implica un elemento de depreciación moral. Los seres humanos son inherentemente gregarios, lo que hace que se influyan mutuamente todo el tiempo. Considere la influencia que su hermano mayor tuvo en su crecimiento. Es un ejemplo clásico de "influencia social sana" y no debe confundirse con el oscuro acto de la manipulación. En la manipulación psicológica, el objetivo del manipulador es siempre influenciar a su víctima para que cumpla sus propios deseos.

La gente suele confundir la "manipulación" con la "influencia", pero en la práctica son polos opuestos. Comenzando por la intención y el motivo de la persona; un influenciador suele buscar su mejor interés y se acerca a usted con consejos sobre cómo tomar mejor una decisión; pero un manipulador tiene la mentalidad de cómo puedo controlar sus pensamientos y emociones para obtener de usted una mejor decisión para mí. Por lo tanto, entender el motivo detrás de cualquier comportamiento de este tipo juega un papel fundamental en la decisión de si se trata de una situación de "influencia", "manipulación" o incluso de manipulación emocional encubierta.

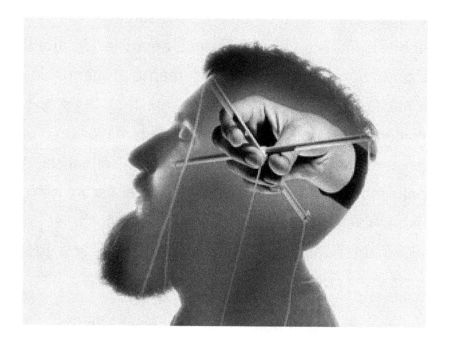

Manipulación emocional encubierta

La forma más extendida de manifestación de la Psicología Oscura en el mundo de hoy, con la que después de leer este libro podrías estar de acuerdo es la Manipulación Emocional Encubierta (CEM). Ahora probablemente estés pensando que es tan diferente de la Manipulación Emocional y si es así, cómo. La respuesta es que la Manipulación Emocional ocurre dentro de los reinos de tu conciencia, así que eres consciente de que alguien está tratando de apelar a un lado más generoso de ti para conseguir lo que quiere. Piensa en la época en que tus padres querían que los visitaras durante el verano, pero tú tenías otros planes de verano, probablemente más emocionantes, con tus amigos o con alguien especial, y tus padres insistieron en que los visitaras en su lugar o en que te tomaras un tiempo extra para hacer la visita. Intentaste convencerlos de que los visitarías para el Día de Acción de Gracias y tu agenda está llena y puede que te respondieran con declaraciones como "somos viejos y no estaremos por mucho tiempo, necesitas hacernos tu prioridad" o "no te hemos visto en mucho tiempo y te echamos de menos, ven a visitar a tus queridos padres". Durante esta conversación eres completamente consciente de que tus padres están intentando cambiar lo que sientes sobre tus planes de verano a su favor. Este es un clásico e inofensivo caso de Manipulación Emocional. Por otro lado, la Manipulación Emocional Encubierta es llevada a cabo por individuos que están tratando de ganar influencia sobre tu proceso de pensamiento y sentimientos, con los medios de sutiles tácticas solapadas que pasan desapercibidas para la persona que está siendo manipulada.

Por definición, la Manipulación Emocional Encubierta pasa desapercibida y te deja actuando como un peón en las manos del manipulador, lo que hace que esto sea una manifestación de la Psicología Oscura. La definición del diccionario de la palabra encubierta es "no se muestra o se compromete abiertamente", por lo tanto, presenta una marcada diferencia con todas las demás técnicas de Manipulación Emocional. Las víctimas de la manipulación emocional encubierta son incapaces de comprender la intención o la motivación del manipulador y la forma en que se les manipula, e incluso sólo el hecho de que se les manipula. Piense en la Manipulación Emocional Encubierta como un bombardero con un sigilo impecable, uno que puede entrar de puntillas en su subconsciente sin ser detectado, dejándole sin defensa alguna. Nuestras emociones dictan principalmente todos los demás aspectos de nuestra personalidad y por lo tanto también dictan nuestra realidad. Alguien que intente manipular tus emociones es equivalente a que te abra la vena yugular haciéndote perder el control sobre ti mismo y tu realidad.

En este libro, también hemos cubierto en detalle algunos tipos prominentes y oscuros de Manipulación, a saber, Maquiavelo y Lavado de Cerebro. Pero hay muchos más tipos de Manipulación Psicológica en nuestra sociedad. Echemos un breve vistazo a algunas de las formas de manipulación oscura más frecuentemente observadas.

Gaslighting

La táctica utilizada por los manipuladores para hacer que su víctima dude de sus propios pensamientos y sentimientos se llama Gaslighting. Este término es usado a menudo por los profesionales de la salud mental para describir el comportamiento manipulador para convencer a la víctima de que sus pensamientos y sentimientos están fuera de lugar y no están alineados con la situación en cuestión.

Comportamiento pasivo-agresivo

Los manipuladores pueden adoptar este comportamiento engañoso para criticar, cambiar o intervenir el comportamiento de su víctima sin hacer peticiones directas o gestos agresivos. Algunos de estos rasgos incluyen: enfurruñarse o dar el tratamiento de silencio, presentarse como una víctima o hablar intencionalmente críptico.

Retener información

No existe la mentira blanca, pero los manipuladores a menudo proporcionan información selectiva a su víctima, a fin de guiarla hacia su red de engaños.

Aislamiento

El manipulador de la oscuridad siempre tiene como objetivo obtener el control y la autoridad sobre su víctima. Para tener éxito, creará un entorno cada vez más aislado para su víctima e impedirá que se ponga en contacto con sus amigos y familiares.

Las muchas diferencias entre la Persuasión y la Manipulación

194

Motivo/intención

Como hemos establecido que las personas con rasgos psicológicos oscuros activos, incluidos los manipuladores, tienen como objetivo establecer el control y la autoridad sobre su presa y explotar a sus víctimas para servir a sus propios intereses. Por otro lado, los persuasores se preocupan por el bienestar de su audiencia e intentan convencerlos de que cambien su actitud o comportamiento en un ambiente libre.

Método de entrega

Los manipuladores crean un entorno acogedor para su víctima, que suele ser una presa poco dispuesta y está preparada emocional y psicológicamente para actuar de forma que beneficie a sus depredadores y amenace su propia salud o bienestar. Mientras que los persuasores sólo esperan que su público responda a su influencia y a las sugerencias. En última instancia, el individuo es libre de decidir si quiere o no aceptar las sugerencias hechas por su persuasor y alterar sus pensamientos, sentimientos y/o comportamientos.

Impacto en la interacción social

Los manipuladores de la oscuridad siempre tratarán de aislar a sus presas del resto del mundo y evitar cualquier contacto con sus seres queridos. La víctima de la manipulación oscura como el lavado de cerebro, desarrolla puntos de vista extremos y puede cometer actos atroces de comportamiento antisocial. A diferencia de la manipulación, los actos de persuasión nunca son letales para el público y la sociedad. Puede ser tan inofensivo como la admiración de tu hermano por los zapatos Nike que te lleva a comprar un par propio o los anuncios de McDonalds que te invitan a disfrutar de una comida rápida con tu familia.

El resultado final

La persuasión suele dar lugar a uno de estos tres posibles escenarios: Beneficio tanto para el persuadido como para el persuasor, comúnmente conocido como una situación en la que todos ganan; Beneficio sólo para el persuadido; Beneficio para el persuadido y un tercero. Sin embargo, la manipulación oscura siempre tiene un benefactor singular que es el manipulador. El individuo manipulado está en grave desventaja y actuará en contra de su propio interés.

Para que esta diferencia se haga realidad, consideremos este ejemplo. Brian tiene un presupuesto y entra en la tienda buscando comprar un nuevo televisor inteligente. Es saludado por Adam, quien luego procede a mostrarle todos los Smart TVs disponibles en la tienda. Adam le explica a Brian todas las características únicas de los diferentes modelos y le dice: "El modelo de Samsung está un poco por encima de tu presupuesto, pero es el producto más caliente del mercado con la mejor calidad de audio y vídeo y vale la pena sobrepasar tu presupuesto". Ahora, si Adam cree realmente en su modelo de televisión recomendado y tiene el mejor interés en el corazón para su cliente. Eso es definitivamente un acto de persuasión. Por otro lado, si sucede que lo recomendado por Adam no vale realmente su alto precio pero esa venta le haría una comisión extra, así que convenció a Brian para que comprara un mal producto a un alto costo. ¡Eso es manipulación!

Ahora que tienes un entendimiento de la Psicología Oscura de la manipulación, te ofrezco unos pocos escenarios en los que la manipulación oscura puede tener lugar para que estés armado para poder detectarla y protegerte.

Desactiven. Si alguien está tratando de ponerse de tu lado y luego te pide un favor abrumador, simplemente declina educadamente y sigue adelante con la conversación.

No te hagas conjeturas. Los manipuladores intentarán convencerte de que tus pensamientos y comportamientos están fuera de lugar. Toma un momento y evalúa si la sugerencia hecha por la persona le beneficiará a ella o a ti mismo y actúa en consecuencia.

Llámalos. Si has detectado la manipulación, no temas abordar la situación de una manera lógica y respetuosa. El uso de un tono acusatorio con un amigo sólo arruinará su amistad, así que decida la sentencia basada en el crimen.

No dejes que divaguen cuando hayas visto la manipulación. El manipulador y especialmente el manipulador emocional encubierto no estará preparado para ser atrapado y tratará de enredar la situación para minimizar el daño.

Si te están investigando para que des información personal, no juegues en las manos del manipulador. El manipulador está tratando de establecer una línea de base de su proceso de pensamiento y comportamiento para evaluar sus fortalezas y atacar sus debilidades.

Pide detalles. Recuerda que los manipuladores buscan ocultarte información para pintar su propia versión de la realidad. Si sientes que se te presenta una visión parcial de la situación, hazles una parrilla para que te den más información y tomen decisiones acertadas.

Cuidado con la exageración. Algunos manipuladores pueden adoptar un enfoque opuesto y bombardearte con detalles adicionales y a menudo vagos sobre la situación, con el fin de confundirte o incluso agotarte mentalmente para que cedas y aceptes la manipulación.

Verifique los hechos. La mentira y el engaño son algo natural para el manipulador. A menudo manipulará los hechos o presentará información falsa para presionarle a tomar una decisión apresurada. No caiga en las mentiras y "busque en Google" su camino a la seguridad!

Examina la burocracia. Ciertos manipuladores pueden tratar de intimidarte con papeleo, procedimientos y leyes para ejercer su poder y autoridad. No te socaves y lee el papeleo e investiga el procedimiento y las leyes. Toma decisiones bien informadas

No te dejes intimidar por su comportamiento agresivo. Algunos manipuladores jugarán al frente y al centro. Levantarán la voz o mostrarán emociones negativas con un fuerte lenguaje corporal, para hacer que te sometas a su coacción. ¡Mantente fuerte y firme!

Tómate tu tiempo. No puedo enfatizar esto lo suficiente. Si alguien te está apurando para que tomes una decisión, creando falsos plazos o transmitiendo un sentido de urgencia para tu beneficio, asegúrate de tomar el control, da un paso atrás y toma una decisión bien informada.

Mira a través de esos comentarios negativos y críticas. Los hábiles manipuladores de la oscuridad pueden recurrir al humor o al sarcasmo para hacerte sentir inferior e inseguro. Intentan establecer una superioridad sobre ti marginándote y ridiculizándote constantemente. No dejes que te afecten y asegúrate de que estás lleno de potencial.

No asumas responsabilidades a tontas y a locas. El manipulador puede usar la clásica táctica de "hacerse el tonto" para hacerte asumir su propia carga de trabajo. Por ejemplo, si un compañero de trabajo finge que no entiende lo que esperas de él, sabiendo muy bien que la fecha límite del proyecto se acerca. Deberías llamarles la atención y no dejarles que se salgan con la suya sin trabajo.

No les des ventaja sobre ti. Si el manipulador te está dando el "tratamiento silencioso", no te agites y mantente firme. Están tratando de hacer que te replantees y que tengas poder sobre ti.

Controla tu lado blando. El manipulador siempre buscará aprovecharse de ti y apelar a tu lado blando. Intentarán explotar tus debilidades y vulnerabilidades emocionales y usarlas como munición contra ti.

¡La paciencia es una virtud! Si puedes controlar tu ansiedad y excitación, siempre estarás en una mejor posición para tomar decisiones racionales.

Conciencia de sí mismo. Conocer y reconocer tus fortalezas y debilidades te ayudará a diseñar tus defensas en consecuencia. Cuando el manipulador está tratando de golpear un nervio para obtener una reacción extrema de ti y luego te culpa en la toma de decisiones que sólo les ayudará, usa tu fuerza mental para superar la manipulación.

Desarrolla mecanismos saludables de afrontamiento. Todos pasamos por altibajos en la vida pero mucha gente busca el alcohol y la comida en exceso para angustiarse. Recuerda que no hay respuestas en el fondo de esa botella y el coma carbónico eventualmente llevará a enfermedades.

Sé bueno contigo mismo. ¡Eres tu propio mejor amigo! Siempre hay un amanecer después del atardecer. No todos podemos ser buenos en todo lo que decidimos hacer. Aprende la lección y date un respiro. Practica la meditación para silenciar tu mente y encontrar la paz interior.

Evita ser demasiado dependiente de los demás. Es totalmente aceptable buscar ayuda, pero si desarrollas una dependencia crónica de otros para resolver tus problemas, comenzarás a socavarte a ti mismo y a perder la confianza que necesitas para protegerte del manipulador de la oscuridad.

Dese a usted mismo una charla de ánimo de vez en cuando. Puedes restaurar tu salud y bienestar metálico diciéndote afirmaciones edificantes a ti mismo. La positividad es la base de una buena salud mental.

Conclusión

Gracias por leer este libro.

Gran parte de nuestras emociones se expresan a través de nuestros brazos y manos. El cálido abrazo de un toque indica amor mientras que una bofetada aguda se traduce en ira. Mucha de nuestra productividad depende de la precisión de nuestros brazos y manos al completar las tareas. Los movimientos de los brazos y las manos son bastante obvios ya que se utilizan como complemento de la expresión verbal. Consideremos algunas señales subliminales que recibimos al analizar las manos y los brazos.

A medida que nuestros brazos se expanden, normalmente parecemos más grandes que nuestro comportamiento normal. Esto podría ser usado como un medio descriptivo para explicar cuán masiva es una persona u objeto, o podría ser una señal sutil de instigación a la agresión o al dominio. También indica la conciencia espacial. Una persona podría expandir los brazos para dar la sutil señal de que prefiere el espacio. Podría compararse con "marcar su territorio". Por el contrario, cuando los brazos se expanden pero se curvan hacia la persona, esto recuerda a un abrazo. Este abrazo indica seguridad o protección. Muchas figuras maternas son vistas dando la bienvenida a sus hijos de esta manera.

Dado que usamos principalmente nuestras manos y brazos para hacer gestos, son herramientas extremadamente descriptivas que expresan nuestras emociones. Cuando se levantan los brazos, es un signo de frustración y duda abrumadora. Casi podemos imaginar a una persona abrumada apretando sus manos sobre sus orejas o sobre la cabeza como un medio de protección.

El cruce de los brazos es un verdadero indicador de cómo se siente una persona. Como se mencionó anteriormente, cuando se cruzan los brazos, esto significa típicamente ansiedad, timidez, miedo o incredulidad. Podemos imaginarnos a una madre o un padre frustrado cruzando los brazos hacia su hijo cuando hace algo malo. Sin embargo, cuando los brazos están cruzados con las manos en forma de puños o en las axilas, esto significa un combate. Esto ocurre cuando un individuo ha sido burlado. Su ira es esencialmente mantener los brazos hacia adentro como un medio de protección. Los puños ocultos podrían indicar a la persona que se está conteniendo de hacer algo de lo que se arrepentiría.

Los individuos que han sido expuestos a la violencia o que se sienten vulnerables pueden tener una fuerte aversión a que la gente les hable con las manos en la cara. Incluso un pequeño gesto podría indicar una respuesta de lucha o huida. Cuando los brazos se empujan hacia adelante, esta es una táctica de miedo que normalmente tiene la intención de crear énfasis. Luchamos con los brazos y las manos, así que la conexión entre ambos es amenazante.

Cuando los brazos se colocan detrás de la espalda y fuera de la vista de la persona con la que se están enfrentando, esto indica una intención oculta. La persona puede carecer de confianza, o está tratando de ocultar su miedo a través del juego de manos detrás de la espalda. Esto no es necesariamente una señal de un mentiroso. Más bien, la persona puede simplemente sentirse incómoda, o se está impidiendo a sí misma decir algo.

Los codos, cuando están orientados hacia afuera, pueden ser un grito silencioso por el espacio. Una persona puede querer que los demás se alejen de ellos sin tener que expresar verbalmente su disposición. Esto puede observarse fácilmente a través de las acciones de los niños. Los niños pequeños, que no pueden comunicarse verbalmente, a menudo extienden sus codos en un movimiento brusco para indicar espacio. Como adultos, hacemos esto subconscientemente como un medio de protección interior.

Las manos son bastante detalladas en sus medios de comunicación. Un movimiento de la mano puede indicar una invitación, mientras que otro movimiento podría encender un conflicto. Cuando las manos están cruzadas con los pulgares metidos debajo, es una señal de paz. Se puede ver a los gurús de las Indias Orientales sosteniendo sus manos de esta manera para expresar su naturaleza pacífica y generosa. Desean extender esta luz a otros a través de sus movimientos físicos. Cuando las manos se colocan frente al ombligo, con los dedos tocándose y las palmas abiertas, es un símbolo de dignidad. La persona intenta mostrar a su pareja que es segura, profesional y concienzuda.

Las manos son también indicadores clave de dirección. Usamos los dedos para señalar las áreas de interés. Cuando las manos se colocan delicadamente en las rodillas con las palmas hacia abajo, esto podría indicar sumisión, especialmente cuando se inclinan hacia la persona opuesta. Las mujeres suelen adoptar esta postura mientras intentan mostrar interés de manera coqueta. Los gestos con las manos también pueden indicar movimiento. Cuando la palma de la mano está de frente a una persona, esto se traduce en rechazo y desaprobación. La persona está usando sus manos para bloquear físicamente a la otra persona de su vista.

Cuando las manos están tocando partes de la cara, esto podría traducirse en una lluvia de ideas, aburrimiento o incluso en la toma de decisiones. Cuando las palmas de las manos sostienen esencialmente la cara y las mejillas hacia arriba, esto es un claro indicador de que una persona está tratando de despertarse de una situación aburrida. Muestra el desinterés de las maneras más obvias. Sin embargo, cuando el dedo índice apunta hacia ciertas áreas de la cara, una persona puede estar profundamente pensativa. La posición de los dedos, así como la firmeza de su agarre es reveladora.

El temblor excesivo que permea las palmas de las manos y los dedos se produce en situaciones de gran tensión. Una persona puede estar tan nerviosa que sus manos empiezan a temblar de forma incontrolada. Esto también es un signo de hambre intensa. Las manos y los dedos empiezan a crecer de forma inestable, mostrando así la falta de alimento del cuerpo. Ligeros temblores también pueden ocurrir cuando una persona es sorprendida en una mentira o confrontada por un error. Pueden estar tan enojados que los temblores son su forma de expresar esa ira.

Usamos nuestras manos para describir el tamaño y la estatura de ciertas cosas. Al igual que los brazos, se utilizan para acentuar la gravedad de una historia, describir la pesadez de un sujeto, e incluso demostrar el movimiento. Son nuestra principal forma de gesticular, y pueden añadir gran emoción a una historia o a una conversación. Cuando se trabaja con los brazos, las manos pueden ser un gran indicador de la confianza de una persona. Tocar crea una sensación de calidez y comunidad que conecta a las personas entre sí. Cuando se analiza cuidadosamente, el movimiento de las manos y los brazos puede darnos pistas clave sobre la disposición de una persona.